1700
PUA
2/98

EL VALOR DE EDUCAR

Fernando Savater

EL VALOR
DE EDUCAR

EDITORIAL ARIEL, S. A.

BARCELONA

Ilustración de la cubierta:
«El asno en la escuela»,
de Bruegel el Viejo (adaptación)

1.ª edición: marzo 1997
2.ª edición: abril 1997
3.ª edición: abril 1997
4.ª edición: mayo 1997
5.ª edición: junio 1997
6.ª edición: julio 1997
7.ª edición: septiembre 1997
8.ª edición: diciembre 1997

© 1997: Fernando Savater

Derechos exclusivos de edición en español
reservados para todo el mundo:
© 1997: Editorial Ariel, S. A.
Córcega, 270 - 08008 Barcelona

ISBN: 84-344-1167-9

Depósito legal: B. 47.952 - 1997

Impreso en España

1997. – Romanyà/Valls
Verdaguer, 1 - Capellades (Barcelona)

*A mi madre,
mi primera maestra*

«Los hombres han nacido
los unos para los otros;
edúcales o padécelos.»

MARCO AURELIO

«El niño no es una botella que hay que llenar,
sino un fuego que es preciso encender.»

MONTAIGNE

Carta a la maestra

Permíteme, querida amiga, que inicie este libro dirigiéndome a ti para rendirte tributo de admiración y para encomendarte el destino de estas páginas. Te llamo «amiga» y bien puedes ser desde luego «amigo», pues a todos y cada uno de los maestros me refiero: pero optar por el femenino en esta ocasión es algo más que hacer un guiño a lo políticamente correcto. Primero, porque en este país la enseñanza elemental suele estar mayoritariamente a cargo del sexo femenino (al menos tal es mi impresión: humillo la cerviz si las estadísticas me desmienten); segundo, por una razón íntima que queda aclarada suficientemente con la dedicatoria de la obra y que quizá subyace, como ofrenda de amor, al propósito mismo de escribirla.

En lo tocante a la admiración, tampoco hay pretensión de halago oportunista. Vaya por delante que tengo a maestras y maestros por el gremio más necesario, más esforzado y generoso, más *civilizador* de cuantos trabajamos para cubrir las demandas de un Estado democrático.

Entre los baremos básicos que pueden señalarse para calibrar el desarrollo humanista de una sociedad, el primero es a mi juicio el trato y la consideración que brinda a sus maestros (el segundo puede ser su sistema penitenciario, que tanto tiene que ver como reverso oscuro con el funcionamiento del anterior). En la España del pasado reciente, por ejemplo, los republicanos progresistas convirtieron a los maestros en protagonistas de la regeneración social que intentaban llevar a cabo, por lo que, consecuentemente, la represión franquista se cebó especialmente con ellos, diezmándolos, para luego imponer la aberrante mitología pseudo-educativa que ha reflejado con tanta gracia Andrés Sopeña en su libro *El florido pensil*.

Actualmente coexiste en este país —y creo que el fenómeno no es una exclusiva hispánica— el hábito de señalar la escuela como correctora necesaria de todos los vicios e insuficiencias culturales con la condescendiente minusvaloración del papel social de maestras y maestros. ¿Que se habla de la violencia juvenil, de la drogadicción, de la decadencia de la lectura, del retorno de actitudes racistas, etc.? Inmediatamente salta el diagnóstico que sitúa —desde luego no sin fundamento— en la escuela el campo de batalla oportuno para prevenir males que más tarde es ya dificilísimo erradicar. Cualquiera diría por lo tanto que los encargados de esa primera enseñanza de tan radical importancia son los profesionales a cuya preparación se dedica más celo institucional, los mejor remunerados y aquellos que merecen la máxima audiencia en los medios de comunicación. Como bien sabemos, no es así. La opinión popular (paradójicamente sostenida por las mismas personas convencidas de que sin una buena escuela no puede haber más que una malísima sociedad) da por supuesto que a maestro no se dedica sino quien es incapaz de mayores designios, gente inepta para realizar una carrera universitaria completa y cuya posición socioeconómica ha de ser —¡así son las cosas, qué le vamos a hacer!— necesariamente ínfima. Incluso existe en España ese dicharacho aterrador de «pasar más hambre que un maestro de escuela»... En los *talking-shows* televisivos o en las tertulias radiofónicas rara vez se invita a un maestro: ¡para qué, pobrecillos! Y cuando se debaten presupuestos ministeriales, aunque de vez en cuando se habla retóricamente de *dignificar* el magisterio (un poco con cierto tonillo entre paternal y caritativo), las mayores inversiones se da por hecho que deben ser para la enseñanza superior. Claro, la enseñanza superior debe contar con más recursos que la enseñanza... ¿inferior?

Todo esto es un auténtico disparate. Quienes asumen que los maestros son algo así como «fracasados» deberían concluir entonces que la sociedad democrática en que vivimos es también un fracaso. Porque todos los demás que intentamos formar a los ciudadanos e ilustrarlos, cuantos apelamos al desarrollo de la investigación científica, la creación artística o el debate racional de las cuestiones públicas dependemos necesariamente del trabajo previo de los maestros. ¿Qué somos los catedráticos de universidad, los periodistas, los artistas y escritores, incluso los políticos conscientes, más que *maestros de segunda* que nada o muy poco podemos si no han realizado bien su tarea los primeros maestros, que deben prepararnos la clientela? Y ante todo tienen que prepararlos para que disfruten de la conquista cultural por excelencia, el sistema mismo de convivencia democrática, que debe ser algo más que un conjunto de estrategias electorales...

En el campo educativo —ésta es una de las convicciones que sustentan este libro— poco se habrá avanzado mientras la enseñanza básica no sea *prioritaria* en inversión de recursos, en atención institucional y también como centro del interés público. Hay que evitar el actual círculo vicioso, que lleva de la baja valoración de la tarea de los maestros a su ascética remuneración, de ésta a su escaso prestigio social y por tanto a que los docentes más capacitados huyan a niveles de enseñanza superior, lo que refuerza los prejuicios que desvalorizan el magisterio, etc. Es un tema demasiado serio para que lo abandonemos exclusivamente en manos de los políticos, que no se ocuparán de él si no lo suponen de interés urgente para su provecho electoral: también aquí la sociedad civil debe reclamar la iniciativa y convertir la escuela en «tema de moda» cuando llegue la hora de pergeñar programas colectivos de futuro. Es preciso convencer a los políticos de que sin una buena oferta escolar nunca lograrán el apoyo de los votantes. En caso contrario, nadie podrá quejarse y no queda más que resignarse a lo peor o despotricar en el vacío.

Por supuesto, también podemos confiar en que las individualidades bien dotadas se las arreglarán para superar sus deficiencias educativas, como siempre ha ocurrido. Está muy extendido cierto fatalismo que asume como un mal necesario que la enseñanza escolar —salvo en sus aspectos más servilmente instrumentales— fracasa *siempre*. En tal naufragio generalizado, cada cual sale a flote como puede. Un político amigo mío al que confié mi obsesión por la importancia de la formación en los primeros años se mostró escéptico: «a ti de pequeño te dieron una educación religiosa y ahora ya ves:

ateo perdido; no creo que las intenciones de los educadores cuenten finalmente mucho y hasta pueden resultar contraproducentes». Este pesimismo educativo (complementado por la fe optimista en que quienes lo merezcan se salvarán de un modo u otro) trae en su apoyo aliados de lujo: ¿no fue el propio Freud quien aseguró en cierta ocasión que hay tres tareas imposibles: educar, gobernar y psicoanalizar? Sin embargo esta convicción no impidió a Freud preferir el imposible gobierno inglés al de la Alemania nazi ni le hizo renunciar a su tarea como psicoanalista e instructor de psicoanalistas.

Al igual que todo empeño humano —y la educación es sin duda el más *humano* y humanizador de todos, según luego veremos—, la tarea de educar tiene obvios límites y nunca cumple sino parte de sus mejores —¡o peores!— propósitos. Pero no creo que ello la convierta en una rutina superflua ni haga irrelevante su orientación ni el debate sobre los mejores métodos con que llevarla a cabo. Sin duda el esfuerzo por educar a nuestros hijos mejor de lo que nosotros fuimos educados encierra un punto paradójico, pues da por supuesto que nosotros —los deficientemente educados— seremos capaces de educar bien. Si el condicionamiento educativo es tan importante, nosotros los maleducados (por ejemplo los que crecimos y estudiamos las primeras letras bajo una dictadura) estamos ya condenados de por vida a perpetuar las tergiversaciones en las que nos hemos formado; y si hemos logrado escapar al destino ideológico que nuestros maestros pretendieron imponernos, ello puede indicar que después de todo la educación no es asunto tan importante como suelen suponer los conductistas pedagógicos. Katharine Tait, en su delicioso libro *My Father Bertrand Russell*, señala que su ilustre progenitor estaba paradójicamente convencido por igual de la importancia de una buena educación para sus hijos y de que él personalmente no había sido irrevocablemente sellado por el rígido puritanismo de su formación infantil: «Puede que él pudiera pensar que el adecuado condicionamiento de los niños produciría el tipo de personas debido, pero ciertamente no se consideraba a sí mismo como el inevitable resultado de su propio condicionamiento.» Pues bien, creo necesario asumir resignadamente esta eventual contradicción para seguir adelante con este libro. En cualquier educación, por mala que sea, hay los suficientes aspectos positivos como para despertar en quien la ha recibido el deseo de hacerlo mejor con aquellos de los que luego será responsable. La educación no es una fatalidad irreversible y cualquiera puede reponerse de lo malo que había en la suya, pero ello no implica que se vuelva indiferente ante la de sus hijos, sino más bien todo lo contrario. Quizá de una buena educación no siempre deriven buenos resultados, lo mismo que un amor correspondido no siempre implica una vida feliz: pero nadie me convencerá de que por tanto la una y el otro no son preferibles a la doma oscurantista o a la frustración del cariño...

Es cierto, sin embargo, que la educación parece haber estado perpetuamente en crisis en nuestro siglo, al menos si hemos de hacer caso a las insistentes voces de alarma que desde hace mucho nos previenen al respecto. Cuando ahora confiese, amiga mía, que este libro responde a mi preocupación por la crisis actual de la educación es probable que muchos se encojan de hombros: ese triste cuento ya lo hemos oído tantas veces... Aun así, creo que es posible señalar peculiaridades inquietantes en el estadio crítico que hoy atravesamos. Por decirlo con palabras de Juan Carlos Tedesco, cuyo libro *El nuevo pacto educativo* ha sido una de mis mejores ayudas a lo largo de estas páginas, la crisis de la educación ya no es lo que era: «No proviene de la deficiente forma en que la educación cumple con los objetivos sociales que tiene asignados, sino que, más grave aún, no sabemos qué finalidades debe cumplir y hacia dónde efectivamente orientar sus acciones.» En efecto, el problema educativo ya no puede reducirse sencillamente al fracaso de un puñado de alumnos, por numeroso que sea, ni tampoco a que la escuela no cumpla como es debido las nítidas misiones que la comunidad le encomienda, sino que adopta un perfil previo y más ominoso: el desdibujamiento o la contradicción de esas mismas demandas.

¿Debe la educación preparar aptos competidores en el mercado laboral o formar hombres completos? ¿Ha de potenciar la autonomía de cada individuo, a menudo crítica y disidente, o la cohesión social? ¿Debe desarrollar la originalidad innovadora o mantener la identidad tradicional del grupo? ¿Atenderá a la eficacia práctica o apostará por el riesgo creador? ¿Reproducirá el orden existente o instruirá a los rebeldes que pueden derrocarlo? ¿Mantendrá una escrupulosa neutralidad ante la pluralidad de opciones ideológicas, religiosas, sexuales y otras diferentes formas de vida (drogas, televisión, polimorfismo estético...) o se decantará por razonar lo preferible y proponer modelos de excelencia? ¿Pueden simultanearse todos estos objetivos o algunos de ellos resultan incompatibles? En este último caso, ¿cómo y quién debe decidir por cuáles optar? Y otras preguntas se abren, por debajo incluso de las anteriores hasta socavar sus cimientos: ¿hay obligación de educar a todo el mundo de igual modo o debe haber diferentes tipos de educación, según la clientela a la que se dirijan?, ¿es la obligación de educar un asunto público o más bien cuestión privada de cada cual?, ¿acaso existe obligación o tan siquiera posibilidad de educar a cualquiera, lo cual presupone que la capacidad de aprender es universal? Pero vamos a ver: ¿por qué ha de ser *obligatorio* educar? Etc., etc.

Cuando el número de preguntas y su radicalidad arrollan patentemente la fragilidad recelosa de las respuestas disponibles, quizá sea hora de acudir a la filosofía. No tanto por afán dogmático de poner pronto remedio al desconcierto sino para utilizar éste *a favor* del pensamiento: hacernos intelectualmente dignos de nuestras perplejidades es la única vía para empezar a superarlas. Pero es que además el proyecto mismo de la filosofía no puede desligarse de la cuestión pedagógica. De vez en cuando, mis respetados maestros y colegas vuelven a plantearse la cuestión de cuál sea el gran tema de la filosofía actual: confieso que sus respuestas me dejan siempre notablemente insatisfecho. Que si el retorno de la religión, que si la crisis de los valores, que si los peligros de la técnica, que si el enfrentamiento entre individualismo y comunitarismo... cuestiones todas ellas muy adecuadas para ejercer el talento o para disimular altisonantemente la carencia de él. Sin embargo el tema de la educación, que engloba todos los anteriores y muchos otros (obligando además a que *aterricen* en el quehacer social), casi nunca lo oigo mencionar como asunto principal. Por lo visto es algo demasiado sectorial, demasiado especializado, demasiado funcional y modesto para suscitar la atención prioritaria de los grandes especuladores de hoy... aunque no lo fuese para muchos tampoco malos de los de ayer, como Montaigne, Locke, Rousseau, Kant o Bertrand Russell. Incluso hubo uno, John Dewey, que llegó a definir la filosofía como «teoría general de la educación», incurriendo quizá en una exageración pero no en un absurdo. En cualquier caso, mi opinión está más cerca de esa hipérbole que de otras declamaciones aparentemente sublimes que convierten a los filósofos en sacristanes o en auxiliares de laboratorio.

Te contaré brevemente la génesis de este libro. Cuando hace un par de años tuve ocasión de componer mi *Diccionario filosófico* —personal casi hasta el capricho— pensé incluir en él la voz «educación» como una de las principales. Sucesivos esbozos desechados me convencieron de que aún me faltaban muchas lecturas para abordar el tema con mínima competencia, amén de necesitar más espacio para desarrollarlo que el razonable en un diccionario como el que estaba escribiendo. Abandoné pues con remordimiento el proyecto de ese artículo: encontrarás vestigios de dicho esfuerzo inicial en el primer capítulo del presente libro. La verdadera ocasión de ponerme en serio al trabajo me la brindó un sindicato de enseñanza mexicano, solicitándome un ensayo sobre los valores de la educación para uso de sus afiliados. Creo que esta obra satisfará su demanda, pero también espero que la rebase en bastantes aspectos. Aunque he procurado leer cuanto me pareció de interés sobre filosofía de la educación y algunos buenos amigos

me han hecho indicaciones bibliográficas perti-
nentes, sólo en parte se ha remediado mi ignorancia básica sobre el tema: quizá la compense un
poco mi apasionamiento de neófito por él. Hay que
reconocerme en cambio la paciencia con la que he
soportado en demasiadas ocasiones la jerga de
cierta pedagogía moderna, cuyos pedantes barba-
rismos, tipo «microsecuenciación curricular», «di-
namización pragmática», «segmento de ocio» (¡el
recreo!), «contenidos procedimentales y actitudina-
les», etc., son un auténtico cilicio para quien de veras quiere enterarse de algo. También la filosofía
tiene su jerga, desde luego, pero por lo menos está
vigente desde hace bastantes siglos. En cambio, los
pedagogos de los que hablo son advenedizos de la
vanilocuencia y se les nota inconfundiblemente...

Por supuesto, he afrontado la educación del
modo más general y yo diría que más *esencial* que
me ha sido posible (siempre con especial hincapié
en sus estadios básico y primario): no me dedico a
comparar planes de estudio o legislaciones sobre
enseñanza pero quisiera haber sido juntamente
intemporal e históricamente válido, como suele
pretender —casi siempre con excesiva ambición,
¡ay!— la filosofía. Aunque parto del modelo educativo de la tradición occidental y el mundo desarrollado, la única que conozco de modo suficiente, me
gustaría haber brindado alguna reflexión oportuna
a quienes se preocupan por la enseñanza en con-
textos socioculturales diferentes. Como colofón del
libro incluyo una antología de opiniones de insig-
nes pensadores sobre educación: he seleccionado
solamente las que me parecen fundamentalmente
acertadas pero tentado estuve de componer un florilegio aún mayor de disparates a partir de los mis-

mos autores o de otros no menos importantes. Hubiera sido mezquino y peligroso: mezquino, porque cualquiera puede equivocarse pero sólo unos cuantos han sabido ir configurando nuestras frágiles verdades; peligroso, porque quizá lo que yo tomo hoy por yerro de un espíritu superior es sólo algo que no entiendo o que *aún* no entiendo.

Dos últimas observaciones, la primera sobre el talante con que está concebido este libro y la segunda sobre su título. El talante o tono del libro, para empezar: supongo que será tachado, probablemente con cierto implícito reproche, de *optimista*. Respecto a casi todos mis libros se dice lo mismo, de modo que no imaginaré que éste —¡precisamente éste!— vaya a constituir una excepción. En un capítulo de otra obra mía (*Ética como amor propio*) he explicado la actitud de pesimismo ilustrado que considero más cuerda y a la que los despistados suelen llamar «optimismo». Pero bueno, qué más da. En efecto, no soy amigo de convertir la reflexión en lamento. Mi actitud, nada original desde los estoicos, es contraria a la queja: si lo que nos ofende o preocupa es remediable debemos poner manos a la obra y si no lo es resulta ocioso deplorarlo, porque este mundo carece de libro de reclamaciones. Por otra parte, estoy convencido de que tanto en nuestra época como en cualquier otra sobran argumentos para considerarnos igualmente lejos del paraíso e igualmente cerca del infierno. Ya sé que es intelectualmente prestigioso denunciar la presencia siempre abrumadora de los males de este mundo pero yo prefiero elucidar los bienes difíciles como si pronto fueran a ser menos escasos: es una forma de empezar a merecerlos y quizá a conseguirlos...

En el caso de un libro sobre la tarea de educar, empero, el optimismo me parece de rigor: es decir, creo que es la única actitud rigurosa. Veamos: tú misma, amiga maestra, y yo que también soy profesor y cualquier otro docente podemos ser ideológica o metafísicamente profundamente pesimistas. Podemos estar convencidos de la omnipotente maldad o de la triste estupidez del sistema, de la diabólica microfísica del poder, de la esterilidad a medio o largo plazo de todo esfuerzo humano y de que «nuestras vidas son los ríos que van a dar a la mar, que es el morir». En fin: lo que sea, siempre que sea descorazonador. Como individuos y como ciudadanos tenemos perfecto derecho a verlo todo del color característico de la mayor parte de las hormigas y de gran número de teléfonos antiguos, es decir, muy negro. Pero en cuanto educadores no nos queda más remedio que ser optimistas, ¡ay! Y es que la enseñanza presupone el optimismo tal como la natación exige un medio líquido para ejercitarse. Quien no quiera mojarse, debe abandonar la natación; quien sienta repugnancia ante el optimismo, que deje la enseñanza y que no pretenda *pensar* en qué consiste la educación. Porque educar es creer en la perfectibilidad humana, en la capacidad innata de aprender y en el deseo de saber que la anima, en que hay cosas (símbolos, técnicas, valores, memorias, hechos...) que pueden ser sabidos y que merecen serlo, en que los hombres podemos mejorarnos unos a otros por medio del conocimiento. De todas estas creencias optimistas puede uno muy bien descreer en privado, pero en cuanto intenta educar o entender en qué consiste la educación no queda más remedio que aceptarlas. Con verdadero pesimismo puede escribirse *contra* la educación, pero el optimismo es imprescindible para estudiarla... y para ejercerla. Los pesimistas pueden ser buenos domadores pero no buenos maestros.

Y aquí está la explicación también del título de mi libro. Hablaré del valor de educar en el doble sentido de la palabra «valor»: quiero decir que la educación es valiosa y válida, pero también que es un acto de coraje, un paso al frente de la valentía humana. Cobardes o recelosos, abstenerse. Lo malo es que todos tenemos miedos y recelos, sentimos desánimo e impotencia y por eso la profesión de maestro —en el más amplio sentido del noble término, en el más humilde también— es la tarea más sujeta a quiebras psicológicas, a depresiones, a desalentada fatiga acompañada por la sensación de sufrir abandono en una sociedad exigente pero desorientada. De ahí nuevamente mi admiración por vosotras y vosotros, amiga mía. Y mi preocupación por lo que os —nos— debilita y desconcierta. Las páginas que siguen no pretenden más que acompañar a quienes se lanzan valientemente a este mar perplejo de la enseñanza y también suscitar en el resto de la ciudadanía el necesario debate que a todos pueda ayudarnos.

Capítulo 1

El aprendizaje humano

En alguna parte dice Graham Greene que «ser humano es también un deber». Se refería probablemente a esos atributos como la compasión por el prójimo, la solidaridad o la benevolencia hacia los demás que suelen considerarse rasgos propios de las personas «muy humanas», es decir aquellas que han saboreado «la leche de la humana ternura», según la hermosa expresión shakespeariana. Es un deber moral, entiende Greene, llegar a ser humano de tal modo. Y si es un deber cabe inferir que no se trata de algo fatal o necesario (no diríamos que morir es un «deber», puesto que a todos irremediablemente nos ocurre): habrá pues quien ni siquiera intente ser humano o quien lo intente y no lo logre, junto a los que triunfen en ese noble empeño. Es curioso este uso del adjetivo «humano», que convierte en objetivo lo que diríamos que es inevitable punto de partida. Nacemos humanos pero eso no basta: tenemos también que llegar a serlo. ¡Y se da por supuesto que podemos fracasar en el intento o rechazar la ocasión misma de intentarlo! Recordemos que Píndaro, el gran poeta griego, recomendó enigmáticamente: «Llega a ser el que eres.»

Desde luego, en la cita de Graham Greene y en el uso común valorativo de la palabra se emplea «humano» como una especie de ideal y no sencillamente como la denominación específica de una clase de mamíferos parientes de los gorilas y los chimpancés. Pero hay una importante verdad antropológica insinuada en ese empleo de la voz «humano»: los humanos nacemos siéndolo ya pero no lo somos del todo hasta *después*. Aunque no concedamos a la noción de «humano» ninguna especial relevancia moral, aunque aceptemos que también la cruel lady Macbeth era humana —pese a serle extraña o repugnante la leche de la humana amabilidad— y que son humanos y hasta demasiado humanos los tiranos, los asesinos, los violadores brutales y los torturadores de niños... sigue siendo cierto que la humanidad plena no es simplemente algo biológico, una determinación genéticamente programada como la que hace alcachofas a las alcachofas y pulpos a los pulpos. Los demás seres vivos nacen ya siendo lo que definitivamente son, lo que irremediablemente van a ser pase lo que pase, mientras que de los humanos lo más que parece prudente decir es que nacemos *para* la humanidad. Nuestra humanidad biológica necesita una confirmación posterior, algo así como un segundo nacimiento en el que por medio de nuestro propio esfuerzo y de la relación con otros humanos se confirme definitivamente el primero. Hay que nacer para humano, pero sólo llegamos plenamente a serlo cuando los demás nos *contagian* su humanidad a propósito... y con nuestra complicidad. La condición humana es en parte espontaneidad natural pero también deliberación artificial: llegar a ser humano del todo —sea humano bueno o humano malo— es siempre un *arte*.

A este proceso peculiar los antropólogos lo llaman *neotenia*. Esta palabreja quiere indicar que los humanos nacemos aparentemente demasiado pronto, sin cuajar del todo: somos como esos condumios precocinados que para hacerse plenamente comestibles necesitan todavía diez minutos en el microondas o un cuarto de hora al baño María tras salir del paquete... Todos los nacimientos humanos son en cierto modo prematuros: nacemos demasiado pequeños hasta para ser crías de mamífero respetables. Comparemos un niño y un chimpancé recién nacidos. Al principio, el contraste es evidente entre las incipientes habilidades del monito y el completo desamparo del bebé. La cría de chimpancé pronto es capaz de agarrarse al pelo de la madre para ser transportado de un lado a otro, mientras que el retoño humano prefiere llorar o sonreír para que le cojan en brazos: depende absolutamente de la atención que se le preste. Según va creciendo, el pequeño antropoide multiplica rápidamente su destreza y en comparación el niño resulta lentísimo en la superación de su invalidez originaria. El mono está programado para arreglárselas solito como buen mono cuanto antes —es decir, para hacerse pronto adulto—, pero el bebé en cambio parece diseñado para mantenerse infantil y minusválido el mayor tiempo posible: cuanto más tiempo dependa vitalmente de su enlace orgánico con los otros, mejor. Incluso su propio aspecto físico refuerza esta diferencia, al seguir lampiño y rosado junto al monito cada vez más velludo: como dice el título famoso del libro de Desmond Morris, es un «mono desnudo», es decir un mono inmaduro, perpetuamente infantilizado, un antropoide impúber junto al chimpancé que pronto diríase que necesita un buen afeitado...

Sin embargo, paulatina pero inexorablemente los recursos del niño se multiplican en tanto que el mono empieza a repetirse. El chimpancé hace pronto bien lo que tiene que hacer, pero no tarda demasiado en completar su repertorio. Por supuesto, sigue esporádicamente aprendiendo algo (sobre todo si está en cautividad y se lo enseña un humano) pero ya proporciona pocas sorpresas, sobre todo al lado de la aparentemente inacabable disposición para aprender todo tipo de mañas, desde las más sencillas a las más sofisticadas, que desarrolla el niño mientras crece. Sucede de vez en cuando que algún entusiasta se admira ante la habilidad de un chimpancé y lo proclama «más inteligente que los humanos», olvidando desde luego que si un humano mostrase la misma destreza pasaría inadvertido y si no mostrase destrezas mayores sería tomado por imbécil irrecuperable. En una palabra, el chimpancé —como otros mamíferos superiores— madura antes que el niño humano pero también envejece mucho antes con la más irreversible de las ancianidades: no ser ya capaz de aprender nada nuevo. En cambio, los individuos de nuestra especie permanecen hasta el final de sus días inmaduros, tanteantes y falibles pero siempre en cierto sentido juveniles, es decir, abiertos a nuevos saberes. Al médico que le recomendaba cuidarse si no quería morir joven, Robert Louis Stevenson le repuso: «¡Ay, doctor, todos los hombres mueren jóvenes!» Es una profunda y poética verdad.

Neotenia significa pues «plasticidad o disponibilidad juvenil» (los pedagogos hablan de *educabilidad*) pero también implica una trama de relaciones necesarias con otros seres humanos. El niño pasa por dos gestaciones: la primera en el útero materno según determinismos biológicos y la segunda en la matriz social en que se cría, sometido a variadísimas determinaciones simbólicas —el lenguaje la primera de todas— y a usos rituales y técnicos propios de su cultura. La posibilidad de ser humano sólo se realiza efectivamente por medio de los demás, de los semejantes, es decir de aquellos a los que el niño hará enseguida todo lo posible por parecerse. Esta disposición mimética, la voluntad de imitar a los congéneres, también existe en los antropoides pero está multiplicada enormemente en el mono humano: somos ante todo monos de imitación y es por medio de la imitación por lo que llegamos a ser algo más que monos. Lo específico de la sociedad humana es que sus miembros no se convierten en modelos para los más jóvenes de modo accidental, inadvertidamente, sino de forma intencional y conspicua. Los jóvenes chimpancés se fijan en lo que hacen sus mayores; los niños son obligados por los mayores a fijarse en lo que hay que hacer. Los adultos humanos reclaman la atención de sus crías y *escenifican* ante ellos las maneras de la humanidad, para que las aprendan. De hecho, por medio de los estímulos de placer o de dolor, prácticamente todo en la sociedad humana tiene una intención decididamente *pedagógica*. La comunidad en la que el niño nace implica que se verá obligado a aprender y también las peculiaridades de ese aprendizaje. Hace casi ochenta años, en su artículo «The Superorganic» aparecido en *American Anthropologist*, lo expuso Alfred L. Kroeber: «La distinción que cuenta entre el animal y el hombre no es la que se da entre lo físico y lo mental, que no es más que de grado relativo, sino la que hay entre lo orgánico y lo social... Bach, nacido en el Congo en lugar de en Sajonia, no habría producido ni el menor fragmento de una coral o una sonata, aunque podemos confiar en que hubiera superado a sus compatriotas en alguna otra forma de música.»

Hay otra diferencia importante entre la imitación ocasional que practican los antropoides respecto a los adultos de su grupo —por la que aprenden ciertas destrezas necesarias— y la que podríamos llamar *imitación forzosa* a la que los retoños humanos se ven socialmente compelidos. Estriba en algo decisivo que sólo se da al parecer entre los humanos: la constatación de la *ignorancia*. Los miembros de la sociedad humana no sólo saben lo que saben, sino que también perciben y persiguen corregir la ignorancia de los que aún no saben o de quienes creen saber erróneamente algo. Como señala Jerome Bruner, un destacado psicólogo americano que ha prestado especial interés al tema educativo, «la incapacidad de los primates no humanos para adscribir ignorancia o falsas creencias a sus jóvenes puede explicar su ausencia de esfuerzos pedagógicos, porque sólo cuando se reconocen esos estados se intenta corregir la deficiencia por medio de la demostración, la explicación o la discusión. Incluso los más "culturizados" chimpancés muestran poco o nada de esta atribución que conduce a la actividad educativa». Y concluye: «Si no hay atribución de ignorancia, tampoco habrá esfuerzo por enseñar.» Es decir que para rentabilizar de modo pedagógicamente estimulante lo que uno sabe hay que comprender también que otro no lo sabe... y que consideramos deseable que lo sepa. La enseñanza voluntaria y decidida no se origina en la constatación de conocimientos compartidos sino en la evidencia de que hay semejantes que aún no los comparten.

Por medio de los procesos educativos el grupo social intenta remediar la ignorancia amnésica (Platón *dixit*) con la que naturalmente todos venimos al mundo. Donde se da por descontado que todo el mundo sabe, o que cada cual sabrá lo que le conviene, o que da lo mismo saber que ignorar, no puede haber educación... ni por tanto verdadera humanidad. Ser humano consiste en la vocación de compartir lo que ya sabemos entre todos, enseñando a los recién llegados al grupo cuanto deben conocer para hacerse socialmente válidos. Enseñar es siempre *enseñar al que no sabe* y quien no indaga, constata y deplora la ignorancia ajena no puede ser maestro, por mucho que sepa. Repito: tan crucial en la dialéctica del aprendizaje es lo que saben los que enseñan como lo que aún no saben los que deben aprender. Éste es un punto importante que debemos tener en cuenta cuando más adelante tratemos de los exámenes y de otras pruebas a menudo plausiblemente denostadas que pretenden establecer el nivel de conocimientos de los aprendices.

El proceso educativo puede ser informal (a través de los padres o de cualquier adulto dispuesto a dar lecciones) o formal, es decir efectuado por una persona o grupo de personas socialmente designadas para ello. La primera titulación requerida para poder enseñar, formal o informalmente y en cualquier tipo de sociedad, es haber vivido: la veteranía siempre es un grado. De aquí proviene sin duda la indudable presión evolutiva hacia la supervivencia de ancianos en las sociedades humanas. Los grupos con mayor índice de supervivencia siempre han debido ser los más capaces de educar y preparar bien a sus miembros jóvenes: estos grupos han tenido que contar con ancianos (¿treinta, cincuenta años?) que conviviesen el mayor tiempo posible con los niños, para ir enseñándoles. Y también la selección evolutiva ha debido premiar a las comunidades en las cuales se daban mejores relaciones entre viejos y jóvenes, más afectuosas y comunicativas. La supervivencia biológica del individuo justifica la cohesión familiar pero probablemente ha sido la necesidad de educar la causante de lazos sociales que van más allá del núcleo procreador.

Creo que puede afirmarse verosímilmente que no es tanto la sociedad quien ha inventado la educación sino el afán de educar y de hacer convivir armónicamente maestros con discípulos durante el mayor tiempo posible, lo que ha creado finalmente la sociedad humana y ha reforzado sus vínculos afectivos más allá del estricto ámbito familiar. Y es importante subrayar por tanto que el amor posibilita y sin duda potencia el aprendizaje pero no puede sustituirlo. También los animales quieren a sus hijos, pero lo propio de la humanidad es la compleja combinación de amor y pedagogía. Lo ha señalado bien John Passmore en su excelente *Filosofía de la enseñanza*: «Que todos los seres humanos enseñan es, en muchos sentidos, su aspecto más importante: el hecho en virtud del cual, y a diferencia de otros miembros del reino animal, pueden transmitir las características adquiridas. Si renunciaran a la enseñanza y se contentaran con el amor, perderían su rasgo distintivo.»

De cuanto venimos diciendo se deduce lo absurdo y hasta inhumano de los recurrentes movimientos antieducativos que se han dado una y otra vez a lo largo de la historia, en ciertas épocas en nombre de alguna iluminación religiosa que prefiere la ingenuidad de la fe a los artificios del saber y en la modernidad invocando la «espontaneidad» y «creatividad» del niño frente a cualquier disciplina coercitiva. Habremos de volver sobre ello pero adelantemos ahora algo. Si la cultura puede definirse, al modo de Jean Rostand, como «lo que el hombre añade al hombre», la educación es el acuñamiento efectivo de lo humano allí donde sólo existe como posibilidad. Antes de ser educado no hay en el niño ninguna personalidad propia que la enseñanza avasalle sino sólo una serie de disposiciones genéricas fruto del azar biológico: a través del aprendizaje (no sólo sometiéndose a él sino también rebelándose contra él e innovando a partir de él) se fraguará su identidad personal irrepetible. Por supuesto, se trata de una forma de condicionamiento pero que no pone fin a cualquier prístina libertad originaria sino que posibilita precisamente la eclosión eficaz de lo que humanamente llamamos libertad. La peor de las educaciones potencia la humanidad del sujeto con su condicionamiento, mientras que un ilusorio limbo silvestre incondicionado no haría más que bloquearla indefinidamente. Según señaló el psicoanalista y antropólogo Géza Roheim, «es una paradoja intentar conocer la naturaleza humana no condicionada pues la esencia de la naturaleza humana es estar condicionada». De aquí la importancia de reflexionar sobre el mejor modo de tal condicionamiento.

El hombre llega a serlo a través del aprendizaje. Pero ese aprendizaje humanizador tiene un rasgo distintivo que es lo que más cuenta de él. Si el hombre fuese solamente un animal que aprende, podría bastarle aprender de su propia experiencia y del trato con las cosas. Sería un proceso muy largo que obligaría a cada ser humano a empezar prácticamente desde cero, pero en todo caso no hay nada imposible en ello. De hecho, buena parte de nuestros conocimientos más elementales los adquirimos de esa forma, a base de frotarnos grata o dolorosamente con las realidades del mundo que nos rodea. Pero si no tuviésemos otro modo de aprendizaje, aunque quizá lográramos sobrevivir físicamente todavía nos iba a faltar lo que de específicamente humanizador tiene el proceso educativo. Porque lo propio del hombre no es tanto el mero aprender como el aprender de otros hombres, ser enseñado por ellos. Nuestro maestro no es el mundo, las cosas, los sucesos naturales, ni siquiera ese conjunto de técnicas y rituales que llamamos «cultura» sino la vinculación intersubjetiva con otras conciencias.

En su choza de la playa, Tarzán quizá puede aprender a leer por sí solo y ponerse al día en historia, geografía o matemáticas utilizando la biblioteca de sus padres muertos, pero sigue sin haber recibido una educación humana que no obtendrá hasta conocer mucho después a Jane, a los watuzi y demás humanos que se le acercarán... a la Chita callando. Éste es un punto esencial, que a veces el entusiasmo por la cultura como acumulación de saberes (o por cada cultura como supuesta «identidad colectiva») tiende a pasar por alto. Algunos antropólogos perspicaces han corregido este énfasis, como hace Michael Carrithers: «Sostengo que los individuos interrelacionándose y el carácter interactivo de la vida social son ligeramente más importantes, más verdaderos, que esos objetos que denominamos cultura. Según la teoría cultural, las personas hacen cosas en razón de su cultura; según la teoría de la sociabilidad, las personas hacen cosas con, para y en relación con los demás, utilizando medios que podemos describir, si lo deseamos, como culturales.» El destino de cada humano no es la cultura, ni siquiera estrictamente la sociedad en cuanto institución, sino los *semejantes*. Y precisamente la lección fundamental de la educación no puede venir más que a corroborar este punto básico y debe partir de él para transmitir los saberes humanamente relevantes.

Por decirlo de una vez: el hecho de enseñar a nuestros semejantes y de aprender de nuestros semejantes es más importante para el establecimiento de nuestra humanidad que cualquiera de los conocimientos concretos que así se perpetúan o transmiten. De las cosas podemos aprender efectos o modos de funcionamiento, tal como el chimpancé despierto —tras diversos tanteos— atina a empalmar dos cañas para alcanzar el racimo de plátanos que pende del techo; pero del comercio intersubjetivo con los semejantes aprendemos *significados*. Y también todo el debate y la negociación interpersonal que establece la vigencia siempre movediza de los significados. La vida humana consiste en habitar un mundo en el que las cosas no sólo son lo que son sino que también significan; pero lo más humano de todo es comprender que, si bien lo que sea la realidad no depende de nosotros, lo que la realidad significa sí resulta competencia, problema y en cierta medida opción nuestra. Y por «significado» no hay que entender una cualidad misteriosa de las cosas en sí mismas sino la forma mental que les damos los humanos para relacionarnos unos con otros por medio de ellas.

Puede aprenderse mucho sobre lo que nos rodea sin que nadie nos lo enseñe ni directa ni indirectamente (adquirimos gran parte de nuestros conocimientos más funcionales así), pero en cambio la llave para entrar en el jardín simbólico de los significados siempre tenemos que pedírsela a nuestros semejantes. De aquí el profundo error actual (bien comentado por Jerome Bruner en la obra antes citada) de homologar la dialéctica educativa con el sistema por el que se programa la información de los ordenadores. No es lo mismo *procesar información* que *comprender significados*. Ni mucho menos es igual que participar en la transformación de los significados o en la creación de otros nuevos. Y la objeción contra ese símil cognitivo profundamente inaceptable va más allá de la distinción tópica entre «información» y «educación» que veremos en el capítulo siguiente. Incluso para procesar información humanamente útil hace falta previa y básicamente haber recibido entrenamiento en la comprensión de significados. Porque el significado es lo que yo no puedo inventar, adquirir ni sostener en aislamiento sino que depende de la mente de los otros: es decir, de la capacidad de participar en la mente de los otros en que consiste mi propia existencia como ser mental. La verdadera educación no sólo consiste en enseñar a pensar sino también en aprender a *pensar sobre lo que se piensa* y este momento reflexivo —el que con mayor nitidez marca nuestro salto evolutivo respecto a otras especies— exige constatar nuestra pertenencia a una comunidad de criaturas pensantes. Todo puede ser privado e inefable —sensaciones, pulsiones, deseos...— menos aquello que nos hace partícipes de un universo simbólico y a lo que llamamos «humanidad».

En sus lúcidas *Reflexiones sobre la educación*, Kant constata el hecho de que la educación nos viene siempre de otros seres humanos («hay que hacer notar que el hombre sólo es educado por hombres y por hombres que a su vez fueron educados») y señala las limitaciones que derivan de tal magisterio: las carencias de los que instruyen reducen las posibilidades de perfectibilidad por vía educativa de sus alumnos. «Si por una vez un ser de naturaleza superior se encargase de nuestra educación —suspira Kant— se vería por fin lo que se puede hacer del hombre.» Este *desideratum* kantiano me recuerda una inteligente novela de ciencia ficción de Arthur C. Clarke titulada *El fin de la infancia*: una nave extraterrestre llega a nuestro planeta y desde su interior, siempre oculto, un ser superior pacifica a nuestros turbulentos congéneres y los instruye de mil modos. Al final, el benefactor alienígena se revela al mundo, al que sobrecoge con su aspecto físico, pues tiene cuernos, rabo y patas de macho cabrío: ¡si se hubiera mostrado demasiado pronto, nadie habría prestado respetuosa atención a sus enseñanzas ni hubiera sido posible convencer a los hombres de su buena voluntad! En tales formas de pedagogía superior —sean diablos, ángeles, marcianos o Dios mismo quienes compongan el equipo docente, como parece anhelar Kant, al menos retóricamente— las ventajas no compensarían los inconvenientes, porque se perdería siempre algo esencial: el *parentesco* entre enseñantes y enseñados. La principal asignatura que se enseñan los hombres unos a otros es en qué consiste ser hombre, y esa materia, por mu-

chas que sean sus restantes deficiencias, la conocen mejor los humanos mismos que los seres so-
brenaturales o los habitantes hipotéticos de las es-
trellas. Cualquier pedagogía que proviniese de una
fuente distinta nos privaría de la lección esencial,
la de ver la vida y las cosas *con ojos humanos*.

Hasta tal punto es así que el primer objetivo de
la educación consiste en hacernos conscientes
de la *realidad* de nuestros semejantes. Es decir: tenemos que aprender a leer sus mentes, lo cual no
equivale simplemente a la destreza estratégica de
prevenir sus reacciones y adelantarnos a ellas para
condicionarlas en nuestro beneficio, sino que implica ante todo atribuirles estados mentales como
los nuestros y de los que depende la propia calidad
de los nuestros. Lo cual implica considerarles *sujetos* y no meros objetos; protagonistas de su vida y
no meros comparsas vacíos de la nuestra. El poeta
Auden hizo notar que «la gente nos parece "real",
es decir parte de nuestra vida, en la medida en que
somos conscientes de que nuestras respectivas voluntades se modifican entre sí». Ésta es la base del
proceso de socialización (y también el fundamento
de cualquier ética sana), sin duda, pero primordialmente el fundamento de la humanización efectiva de los humanos potenciales, siempre que a la
noción de «voluntad» manejada por Auden se le
conceda su debida dimensión de «participación en
lo significativo». La realidad de nuestros semejantes implica que todos protagonizamos el mismo
cuento: ellos cuentan para nosotros, nos cuentan
cosas y con su escucha hacen significativo el cuento que nosotros también vamos contando... Nadie
es sujeto en la soledad y el aislamiento, sino que
siempre se es sujeto *entre* sujetos: el sentido de la

vida humana no es un monólogo sino que proviene del intercambio de sentidos, de la polifonía coral. Antes que nada, la educación es la revelación de los demás, de la condición humana como un concierto de complicidades irremediables.

Quizá mucho de lo que vengo diciendo en estas últimas páginas resulte para algunos lectores demasiado abstracto, pero me parece cimiento imprescindible sin el que sería imposible exponer el resto de estas reflexiones. Quisiera aquí iniciarse una elemental filosofía de la educación y toda filosofía obliga a mirar las cosas desde arriba, para que la ojeada abarque lo esencial desde el pasado hasta el presente y quizá apunte auroras de futuro. Pido pues excusas, suplico la relectura paciente y benevolente de los párrafos recién concluidos y sigo adelante.

CAPÍTULO 2

Los contenidos de la enseñanza

Como hemos visto, el aprendizaje a través de la comunicación con los semejantes y de la transmisión deliberada de pautas, técnicas, valores y recuerdos es proceso necesario para llegar a adquirir la plena estatura humana. Para ser hombre no basta con nacer, sino que hay también que aprender. La genética nos predispone a llegar a ser humanos pero sólo por medio de la educación y la convivencia social conseguimos efectivamente serlo. Ni siquiera en todos los animales basta con la mera herencia biológica para conseguir un ejemplar cuajado de la especie (algunos mamíferos superiores y ciertos insectos sociales se transmiten unos a otros conocimientos por la vía de la imitación, cuyas diferencias con la enseñanza propiamente dicha hemos señalado en el capítulo anterior), pero en el caso del género humano ese proceso formativo no hereditario es totalmente necesario. Quizá no resulte inevitable contraponer abruptamente el programa genético al aprendizaje social, lo que heredamos por la biología y lo que nos transmiten nuestros semejantes: algunos etólogos como Eibl-Eibesfeldt aseguran que estamos genéticamente programados para adquirir destrezas que sólo pueden enseñarnos los demás, lo que establecería una complementariedad intrínseca entre herencia biológica y herencia cultural.

Lo primero que la educación transmite a cada uno de los seres pensantes es que no somos *únicos*, que nuestra condición implica el intercambio significativo con otros parientes simbólicos que confirman y posibilitan nuestra condición. Lo segundo, ciertamente no menos relevante, es que no somos los *iniciadores* de nuestro linaje, que aparecemos en un mundo donde ya está vigente la huella humana de mil modos y existe una tradición de técnicas, mitos y ritos de la que vamos a formar parte y en la que vamos también a formarnos. Para el ser humano, éstos son los dos descubrimientos originarios que le abren a su vida propia: la sociedad y el tiempo. En el medio social sus capacidades y aptitudes biológicas cuajarán en humanidad efectiva, que sólo puede venirnos de los semejantes; pero también aprenderá que esos semejantes no están todos de hecho presentes, que muchos ya murieron y que sin embargo sus descubrimientos o sus luchas siguen contando para él como lecciones vitales, lo mismo que otros aún no han nacido aunque ya le corresponde a él tenerlos en cuenta para mantener o renovar el orden de las cosas.

El *tiempo* es nuestro invento más característico, más determinante y también más intimidatorio: que todos los modelos simbólicos según los cuales organizan su vida los hombres en cualquier cultura sean indefectiblemente temporales, que no haya comunidad que no sepa del pasado y que no se proyecte hacia el futuro es quizá el rasgo menos animalesco que hay en nosotros. Un filósofo español exiliado en México, José Gaos, escribió un libro titulado *Dos exclusivas del hombre: la mano y el tiempo*. La función de la mano, pese a toda su capacidad técnica liberada por el abandono de la marcha cuadrúpeda, me parece menos relevante que la del tiempo. La panorámica temporal es el contrapeso de nuestra conciencia de la muerte inexorable, que nos aísla aterradoramente entre todos los seres vivos. Los animales no necesitan el tiempo, porque no saben que van a morir; nosotros a través del tiempo ampliamos los márgenes de una existencia que conocemos efímera y precedemos nuestro presente de mitos que lo hipotecan o enfatizan y de un más allá —terreno o ultraterreno, tanto da— que nos consuela.

Por vía de la educación no nacemos al mundo sino al tiempo: nos vemos cargados de símbolos y famas pretéritas, de amenazas y esperanzas venideras siempre populosas, entre las que se escurrirá apenas el agobiado presente personal. Es tentador pero inexacto decir que los objetos inanimados o los animales permanecen en un eterno presente. Quien no tiene tiempo tampoco puede tener presente. Por eso algunos adversarios del tiempo, que han intentado zafarse retóricamente de él —de otro modo es imposible— considerándolo no la compensación sino la cifra misma de la muerte, rechazan también la obligación del presente:

¿Qué es el presente?
Es algo relativo al pasado y al futuro.
Es una cosa que existe en virtud de que existen
otras cosas.
Yo quiero sólo la realidad, las cosas
sin presente.
No quiero incluir el tiempo en mi haber.

No quiero pensar en las cosas como presentes;
quiero pensar en ellas como cosas.
no quiero separarlas de sí mismas, tratándolas
de presentes.

(FERNANDO PESSOA, «Alberto Caeiro»)

Sin embargo, pese a estas rebeliones poéticas, el tiempo es nuestro campo de juego. Como establece un estudioso de temas educativos, Juan Delval, «el manejo del tiempo es la fuente de nuestra grandeza y el origen de nuestras miserias, y es un componente esencial de nuestros modelos mentales». La enseñanza está ligada intrínsecamente al tiempo, como transfusión deliberada y socialmente necesaria de una memoria colectivamente elaborada, de una imaginación creadora compartida. No hay aprendizaje que no implique conciencia temporal y que no responda directa o indirectamente a ella, aunque los perfiles culturales de esa conciencia —cíclica, lineal, trascendente o inmanente, de máximo o mínimo alcance cronológico...— sean enormemente variados.

Y el tiempo también confiere la calificación más necesaria a los educadores, como señalamos en el capítulo anterior: lo primero para educar a otros es haber vivido *antes* que ellos, es decir, no el simple haber vivido en general —es posible y frecuente que un joven enseñe cosas a alguien de mayor edad—, sino haber vivido antes el conocimiento que desea transmitirse. Por lo común los adultos y los viejos poseen este requisito frente a los muy pequeños, sobre todo en las sociedades más apoyadas en la memoria oral que en la escritura, pero la sabiduría tiene su propia forma de temporalidad y la experiencia crea un pasado de descubrimientos que siempre podemos transmitir a quien no lo comparte, aunque sea alguien en la cronología biológica anterior a nosotros. De aquí que todos los hombres seamos capaces de enseñar algo a nuestros semejantes e incluso que sea inevitable que antes o después, aunque de mínimo rango, todos hayamos sido maestros en alguna ocasión.

La función de la enseñanza está tan esencialmente enraizada en la condición humana que resulta obligado admitir que cualquiera puede enseñar, lo cual por cierto suele sulfurar a los pedantes de la pedagogía que se consideran al oírlo destituidos en la especialidad docente que creen monopolizar. Los niños, por ejemplo, son los mejores maestros de otros niños en cosas nada triviales, como el aprendizaje de diversos juegos. ¿Hay algo más patéticamente superfluo que los esfuerzos de algunos adultos por enseñar a los niños a jugar a las canicas, al escondite o con soldaditos como si los compañeros de juegos no les bastaran para esos menesteres docentes? Los mayores se empeñan en lograr que jueguen como ellos jugaban, mientras que los niños más espabilados muestran a los otros cómo van a jugar ellos de ahora en adelante, conservando pero también sutilmente alterando la tradición cultural del juego.

Se enseñan los niños entre sí, los jóvenes adiestran en la actualidad a sus padres en el uso de sofisticados aparatos, los ancianos inician a sus menores en el secreto de artesanías que la prisa moderna va olvidando pero también aprenden a su vez de sus nietos hábitos y destrezas insospechadas que pueden hacer más cómodas sus vidas. En el terreno erótico, el experimentado magisterio de la mujer madura ha sido decisivo en nuestra cultura —sobre todo en los siglos XVIII y XIX— para la formación amatoria de los jóvenes varones; a este respecto, las mujeres casi siempre fueron generosamente pedagógicas en su disposición a corregir la torpeza técnica e inmadurez sentimental de los neófitos, mientras que en similares circunstancias los hombres se aprovechan de tales deficiencias y a veces las perpetúan para consolidar su placer o su dominio. Aún hay mucho más: podemos hablar de la educación indirecta que nos llega a todos permanentemente, jóvenes y mayores, a través de las obras y los ejemplos con que influyen en nuestra cotidianidad urbanistas, arquitectos, artistas, economistas, políticos, periodistas y creadores audiovisuales, etc. La condición humana nos da a todos la posibilidad de ser al menos en alguna ocasión maestros de algo para alguien. De mi paso nada glorioso (ni gozoso) por el servicio militar guardo una lección provechosa: el capitán me enseñó cómo se cumplimenta un cheque bancario, minúscula tarea que nunca hasta entonces había realizado. Si incluso en el servicio militar puede uno aprender algo útil, ello prueba más allá de toda duda que nadie puede librarse de instruir ni de ser instruido, sean cuales fueren las circunstancias...

Siendo así las cosas y el mutuo aprendizaje algo generalizado y obligatorio en toda comunidad humana, parecería a primera vista innecesario que se instituya la enseñanza como dedicación *profesional* de unos cuantos. En efecto, gran parte de los grupos humanos primitivos carecieron de instituciones educativas específicas: los más experimentados enseñaban a los inexpertos, sin constituir para ello un gremio de especialistas en la docencia. Y todavía muchas enseñanzas se transmiten así en nuestros días, aun en las sociedades más desarrolladas: por ejemplo en el seno de la familia, de padres a hijos. Así aprendemos el lenguaje, el más primordial de todos los saberes y la llave para cualquier otro. Pero aquellas sociedades primitivas sólo poseían unos conocimientos empíricos limitados y una forma de vida prácticamente única para todos los hombres y todas las mujeres; en cuanto a los padres, pueden enseñar a los hijos su propio oficio o su propia manera de preparar las confituras, pero no otras profesiones, otras especialidades gastronómicas y sobre todo ciencias de alta complejidad. Y es que el hecho de que cualquiera sea capaz de enseñar algo (incluso que inevitablemente enseñe algo a alguien en su vida) no quiere decir que *cualquiera sea capaz de enseñar cualquier cosa*. La institución educativa aparece cuando lo que ha de enseñarse es un saber científico, no meramente empírico y tradicional, como las matemáticas superiores, la astronomía o la gramática. Según las comunidades van evolucionando culturalmente, los conocimientos se van haciendo más abstractos y complejos, por lo que es difícil o imposible que cualquier miembro del grupo los posea de modo suficiente para enseñarlos. Simultáneamente aumenta el número de opciones profesionales especializadas que no pueden ser aprendidas en el hogar familiar. De ahí que aparezcan instituciones docentes específicas que nunca podrán monopolizar la función educativa —aunque a veces la vanidad profesional de sus ejercientes así lo pretenda— sino que conviven con las otras formas menos formalizadas y más difusas de aprendizaje social, tan imprescindibles como ellas. No todo puede aprenderse en casa o en la calle, como creen algunos espontaneístas despistados que sueñan con simplicidades neolíticas, pero tampoco Oxford o Salamanca tienen unos efectos mágicos radicalmente distintos a los de la niña que enseña a otra en el parque a saltar a la comba.

Bien, se enseña en todas partes y por parte de todos, a veces de modo espontáneo y otras con mayor formalidad, pero ¿qué es lo que puede enseñarse y debe aprenderse? Antes dijimos que la enseñanza nos revela por principio nuestra filiación simbólica con otros semejantes sin los que nuestra humanidad no llega a realizarse plenamente y la condición temporal en la que debemos vivir, como parte de una tradición cognoscitiva que no empieza con cada uno de nosotros y que ha de sobrevivirnos. Sin embargo, ahora parece llegado el momento de intentar detallar algo más. Ya señalamos que toda educación humana es deliberada y coactiva, no mera mímesis: parece indicado por tanto precisar y sopesar los objetivos concretos que tal educación ha de proponerse.

Si afrontamos esta tarea con esa amplitud insaciable que es propia del pensamiento filosófico, el empeño resulta abrumador. Como dice con razón Juan Delval, «una reflexión sobre los fines de la educación es una reflexión sobre el destino del hombre, sobre el puesto que ocupa en la naturaleza, sobre las relaciones entre los seres humanos». Me apresuro a reconocer mi ineptitud y desgana para tratar aquí suficientemente tales cuestiones, salvo tangencialmente. Por otra parte, sería una presunción inaguantable intentar resolverlas de un plumazo desde una perspectiva egotista. Nuestras sociedades actuales son axiológicamente muy complejas y están en muchos aspectos desconcertadas, pero comparten también principios que a veces su propia aceptación implícita hace pasar por alto. Quizá podamos dar ciertas cosas por supuestas a estas alturas históricas de la modernidad, aunque no sea más que para seguir explorando a partir de ellas. Recordando siempre, desde luego, que la pregunta que pone incluso lo mejor asentado en entredicho también forma parte irrevocable de nuestra herencia cultural.

Como nunca resulta infructuoso en estos casos que nos comprometen con lo esencial, volvamos a los griegos. Aunque a lo largo de su historia se dieron distintos modos de *paideia* (ideal educativo griego), según las ciudades-Estado o *polis* y las épocas, se les puede atribuir en el momento tardío del helenismo la inauguración de una distinción binaria de funciones que en cierto modo colea todavía entre nosotros: la que separa la educación propiamente dicha por un lado y la instrucción por otro. Cada una de las dos era ejercida por una figura docente específica, la del pedagogo y la del maestro. El pedagogo era un fámulo que pertenecía al ámbito interno del hogar y que convivía con los niños o adolescentes, instruyéndoles en los valores de la ciudad, formando su carácter y velando por el desarrollo de su integridad moral. En cambio el maestro era un colaborador externo a la familia y se encargaba de enseñar a los niños una serie de conocimientos instrumentales, como la lectura, la escritura y la aritmética. El pedagogo era un educador y su tarea se consideraba de primordial interés, mientras que el maestro era un simple instructor y su papel estaba valorado como secundario. Y es que los griegos distinguían la vida *activa*, que era la que llevaban los ciudadanos libres en la *polis* cuando se dedicaban a la legislación y al debate político, de la vida *productiva*, propia de labriegos, artesanos y otros siervos: la educación brindada por el pedagogo era imprescindible para destacar en la primera, mientras que las instrucciones del maestro se orientaban más bien a facilitar o dirigir la segunda.

En líneas generales la educación, orientada a la formación del alma y el cultivo respetuoso de los valores morales y patrióticos, siempre ha sido considerada de más alto rango que la instrucción, que da a conocer destrezas técnicas o teorías científicas. Y esto ha sido así incluso en épocas menos caballerescas que la griega clásica, cuando ya las actividades laborales no eran vistas con displicencia o altanería. Sin embargo, hasta finales del siglo XVIII la instrucción técnico-científica no alcanzó una consideración comparable en la enseñanza a la educación cívico-moral. En su gran *Enciclopedia*, Diderot no retrocede ante el estudio de artesanías antes tan desdeñadas como la albañilería o las artes culinarias; y todos los ilustrados de aquella época valoraban el *espíritu de geometría* como el talento intelectual más agudo, más razonable y más independiente de prejuicios. A partir de entonces se empieza a considerar que los conocimientos que brinda la instrucción son imprescindibles para fundar una educación igualitaria y tolerante, capaz de progresar críticamente más allá de los tópicos edificantes aportados por la tradición religiosa o localista. Más tarde, la proporción de estima se invierte y los conocimientos técnicos, cuanto más especializados y listos para un rendimiento laboral inmediato mejor, han llegado a ser tasados por encima de una formación cívica y ética sujeta a incansables controversias. El modelo científico del saber es más bien unitario, mientras que las propuestas morales y políticas se enfrentan con multiplicidad cacofónica: por lo tanto, algunos llegan a recomendar que la enseñanza institucional se atenga a lo seguro y práctico —lo que tiene una aplicabilidad laboral directa—, dejando a las familias y otras instancias ideológicas el encargo de las formas de socialización más controvertidas. En el próximo capítulo volveremos más extensamente sobre tales planteamientos.

Esta contraposición educación *versus* instrucción resulta hoy ya notablemente obsoleta y muy engañosa. Nadie se atreverá a sostener seriamente que la autonomía cívica y ética de un ciudadano puede fraguarse en la ignorancia de todo aquello necesario para valerse por sí mismo profesionalmente; y la mejor preparación técnica, carente del básico desarrollo de las capacidades morales o de una mínima disposición de independencia política, nunca potenciará personas hechas y derechas sino simples robots asalariados. Pero sucede además que separar la educación de la instrucción no sólo resulta indeseable sino también imposible, porque no se puede educar sin instruir ni viceversa. ¿Cómo van a transmitirse valores morales o ciudadanos sin recurrir a informaciones históricas, sin dar cuenta de las leyes vigentes y del sistema de gobierno establecido, sin hablar de otras culturas y países, sin hacer reflexiones tan elementales como se quieran sobre la psicología y la fisiología humanas o sin emplear algunas nociones de información filosófica? ¿Y cómo puede instruirse a alguien en conocimientos científicos sin inculcarle respeto por valores tan humanos como la verdad, la exactitud o la curiosidad? ¿Puede alguien aprender las técnicas o las artes sin formarse a la vez en lo que la convivencia social supone y en lo que los hombres anhelan o temen?

Dejemos de lado por el momento la dicotomía falsa entre educación e instrucción. Puede haber otras intelectualmente más sugestivas, como por ejemplo la que John Passmore establece entre capacidades *abiertas* y *cerradas*. La enseñanza nos adiestra en ciertas capacidades que podemos denominar «cerradas», algunas estrictamente funcionales —como andar, vestirse o lavarse— y otras más sofisticadas, como leer, escribir, realizar cálculos matemáticos o manejar un ordenador. Lo característico de estas habilidades sumamente útiles y en muchos casos imprescindibles para la vida diaria es que pueden llegar a dominarse por completo de modo perfecto. Habrá quien se dé más maña en llevarlas a cabo o sea más rápido en su ejecución, pero una vez que se ha aprendido su secreto, que se les ha *cogido el truco*, ya no se puede ir de modo significativo más allá. Cuando alguien llega a saber ponerlas en práctica, conoce cuanto hay que saber respecto ellas y no cabe más progreso o virtuosismo importante en su ejercicio posterior: una vez que se aprende a leer, contar o lavarse los dientes, se puede ya leer, contar o lavarse los dientes *del todo*.

Las capacidades «abiertas», en cambio, son de dominio gradual y en cierto modo infinito. Algunas son elementales y universales, como hablar o razonar, y otras sin duda optativas, como escribir poe-

sía, pintar o componer música. En los comienzos
de su aprendizaje, las capacidades abiertas se apo-
yan también sobre «trucos», como las cerradas, y
ocasionalmente incluso parten de competencias cerradas (v. gr.: antes de escribir poesía, hay que saber leer y escribir). Pero su característica es que
nunca pueden ser dominadas de forma perfecta,
que su pleno dominio jamás se alcanza, que cada
individuo desarrolla interminablemente su conocimiento de ellas sin que nunca pueda decirse que ya
no puede ir de modo relevante más allá. Otra diferencia: el ejercicio repetido y rutinario de las capacidades cerradas las hace más fáciles, más segu-
ras, disuelve o resuelve los problemas que al comienzo planteaban al neófito; en cambio, cuanto
más se avanza en las capacidades abiertas más opciones divergentes se ofrecen y surgen problemas
de mayor alcance. Una vez dominadas, las capacidades cerradas pierden interés en sí mismas aunque siguen conservando toda su validez instru-
mental; por el contrario, las capacidades abiertas
se van haciendo más sugestivas aunque también
más inciertas a medida que se progresa en su estudio. El éxito del aprendizaje de capacidades cerradas es ejercerlas olvidando que las sabemos; en
las capacidades abiertas, implica ser cada vez más
conscientes de lo que aún nos queda por saber.
    Pues bien, sin duda la propia habilidad de
aprender es una muy distinguida capacidad abierta,
la más necesaria y humana quizá de todas ellas. Y
cualquier plan de enseñanza bien diseñado ha de
considerar prioritario este saber que nunca acaba y
que posibilita todos los demás, cerrados o abiertos,
sean los inmediatamente útiles a corto plazo o sean
los buscadores de una excelencia que nunca se da

por satisfecha. La capacidad de aprender está hecha de muchas preguntas y de algunas respuestas; de búsquedas personales y no de hallazgos institucionalmente decretados; de crítica y puesta en cuestión en lugar de obediencia satisfecha con lo comúnmente establecido. En una palabra, de *actividad* permanente del alumno y nunca de aceptación pasiva de los conocimientos ya deglutidos por el maestro que éste deposita en la cabeza obsecuente. De modo que, como ya tantas veces se ha dicho, lo importante es *enseñar a aprender*. Según el conocido dictamen de Jaime Balmes, el arte de enseñar a aprender consiste en formar fábricas y no almacenes. Por supuesto, dichas fábricas funcionarán en el vacío si no cuentan con provisiones almacenadas a partir de las cuales elaborar nuevos productos, pero son algo más que una perfecta colección de conocimientos ajenos. El cruel Ambrose Bierce, en su *Diccionario del diablo*, definió la erudición como «el polvo que cae de las estanterías en los cerebros vacíos». Es una *boutade* injusta porque cierta erudición es imprescindible para despertar y alimentar la capacidad cerebral, pero acierta como dicterio contra la tentación escolar de convertir la enseñanza en mera memorización de datos, autoridades y gestos rutinarios de reverencia intelectual ante lo respetado.

Volvamos a la primariamente estéril contraposición entre educación e instrucción. Bien entendidas, la primera equivaldría al conjunto de las actividades abiertas —entre las cuales la ética y el sentido crítico de cooperación social no son las menos distinguidas— y la segunda se centraría en las capacidades cerradas, básicas e imprescindibles pero no suficientes. Los espíritus poseídos por una lógica estrictamente utilitaria (que suele resultar la más inútil de todas) suelen suponer que hoy sólo la segunda cuenta para asegurarse una posición rentable en la sociedad, mientras que la primera corresponde a ociosas preocupaciones ideológicas, muy bonitas pero que no sirven para nada. Es rotundamente falso y precisamente ahora más falso que nunca, cuando la flexibilización de las actividades laborales y lo constantemente innovador de las técnicas exige una educación abierta tanto o más que una instrucción especializada para lograr un acomodo ventajoso en el mundo de la producción.

Coinciden en tal apreciación los principales expertos en pedagogía que venimos consultando. Según opinión de Juan Delval, «una persona capaz de pensar, de tomar decisiones, de buscar la información relevante que necesita, de relacionarse positivamente con los demás y cooperar con ellos, es mucho más polivalente y tiene más posibilidades de adaptación que el que sólo posee una formación específica». Y aún con mayor énfasis en la sociología actual remacha este punto de vista Juan Carlos Tedesco: «La capacidad de abstracción, la creatividad, la capacidad de pensar de forma sistémica y de comprender problemas complejos, la capacidad de asociarse, de negociar, de concertar y de emprender proyectos colectivos son capacidades que pueden ejercerse en la vida política, en la vida cultural y en la actividad en general. [...] El cambio más importante que abren las nuevas demandas de la educación es que ella deberá incorporar en forma sistemática la tarea de *formación de la personalidad*. El desempeño productivo y el desempeño ciudadano requieren el desarrollo de una serie de capacidades... que no se forman ni espontáneamente, ni a través de la mera adquisición de informaciones o conocimientos. La escuela —o, para ser más prudentes, las formas institucionalizadas de educación— debe, en síntesis, formar no sólo el núcleo básico del desarrollo cognitivo, sino también el núcleo básico de la personalidad.» Ni siquiera el más estrecho utilitarismo autoriza hoy —ni probablemente autorizó nunca— a menospreciar la formación social e inquisitiva del carácter frente al aprendizaje de datos o procedimientos técnicos. Tendremos sin duda ocasión de volver en los capítulos sucesivos sobre estas cuestiones fundamentales.

Educación, instrucción, numerosos conocimientos cerrados o abiertos, estrictamente funcionales o generosamente creativos: las asignaturas que la escuela actual han de transmitir se multiplican y subdividen hasta el punto mismo de lo abrumador. Y además se habla de un *currículum oculto*, es decir, de objetivos más o menos vergonzantes que subyacen a las prácticas educativas y que se transmiten sin hacerse explícitos por la propia estructura jerárquica de la institución. Hace más de seis décadas Bertrand Russell advirtió que «ha sido costumbre de la educación favorecer al Estado propio, a la propia religión, al sexo masculino y a los ricos». Y recientemente Michel Foucault ha mostrado los engranajes según los cuales todo saber y también su transmisión establecida mantienen una vinculación con el poder o, mejor, con los difundidos poderes varios que actúan normalizadora y disciplinarmente en el campo social. También habrá que volver más adelante sobre tales planteamientos. Pero para acabar este capítulo nos referiremos a la asignatura esencial de ese «currículum oculto», que ganaría haciéndose explícita y que desde luego no puede ser abolida siguiendo un criterio falsamente libertario sin desvirtuar el sentido mismo de toda la educación. Me refiero a la propuesta de *modelos de autoestima* a los educandos como resultado englobador de todo su aprendizaje.

Como la humanización es un proceso en el cual los participantes se dan unos a otros aquello que aún no tienen para recibirlo de los demás a su vez, el *reconocimiento* de lo humano por lo humano es un imperativo en la vía de maduración personal de cada uno de los individuos. El niño necesita ser reconocido en su cualidad irrepetible por los demás para aspirar a confirmarse a sí mismo sin angustia ni desequilibrio en el ejercicio intersubjetivo de la humanidad. Pero ese reconocimiento implica siempre una valoración, una apreciación en más o en menos, un modelo de excelencia que sirve de baremo para calibrar lo reconocido. El reconocimiento de lo humano por lo humano no es la simple constatación de un hecho sino la confrontación con un ideal. Entrar en cualquier comunidad exige internarse en una espesura de ponderaciones simbólicas: algunos sociólogos, destacadamente Pierre Bourdieu, han estudiado la compleja búsqueda de la *distinción* que preside el intercambio social y que orienta significativamente también las formas educativas. Una de las principales tareas de la enseñanza siempre ha sido por tanto promover modelos de excelencia y pautas de reconocimiento que sirvan de apoyo a la autoestima de los individuos.

Tales modelos pueden estar comúnmente basados en criterios detestables, como los apuntados por Russell (la riqueza, el sexo, la pertenencia a determinada nación o a cierta profesión de fe religiosa, la raza, la preeminencia en los círculos mundanos, la sintonía con las altas esferas del gobierno, la obediencia ciega o la rebelión sectaria, etc.), pero también pueden estarlo en otros dirigidos a reforzar la autonomía personal, el conocimiento veraz y la generosidad o el coraje. Lo único seguro es que si por una timorata dimisión de sus funciones la escuela renuncia a este designio —justificándose con autoengaños como la supuesta necesidad de «neutralidad» o el relativismo axiológico—, los niños y adolescentes negociarán su autoestima en otros mercados porque humanamente nadie puede pasarse sin ella. Como indica Jerome Bruner, «la escuela, en mayor grado de lo que solemos constatar, compite con miríadas de "antiescuelas" en la provisión de distinción, identidad y autoestima… está en competición con otras partes de la sociedad que ofrecen también tales valores, quizá con deplorables consecuencias para la sociedad». Los modelos brindados por los edificantemente nada edificantes medios audiovisuales, las bandas callejeras, las sectas integristas o los movimientos políticamente violentos y tantas otras ofertas ominosas sustituirán a la educación en un terreno que no puede abandonar sin negarse a sí misma. De la renuncia o fracaso de la escuela en este terreno provienen la mayoría de los trastornos juveniles que tanto alarman a las personas bienpensantes, es decir, a las que suelen alarmarse más y pensar menos. Y precisamente a menudo los clamores de esta alarma refuerzan los modelos pedagógicos más contraproducentes. En el capítulo sexto de este libro retomaremos la discusión del asunto.

CAPÍTULO 3

El eclipse de la familia

Constatemos para empezar un hecho obvio: los niños siempre han pasado mucho más tiempo fuera de la escuela que dentro, sobre todo en sus primeros años. Antes de ponerse en contacto con sus maestros ya han experimentado ampliamente la influencia educativa de su entorno familiar y de su medio social, que seguirá siendo determinante —cuando no decisivo— durante la mayor parte del período de la enseñanza primaria. En la familia el niño aprende —o debería aprender— aptitudes tan fundamentales como hablar, asearse, vestirse, obedecer a los mayores, proteger a los más pequeños (es decir, convivir con personas de diferentes edades), compartir alimentos y otros dones con quienes les rodean, participar en juegos colectivos respetando los reglamentos, rezar a los dioses (si la familia es religiosa), distinguir a nivel primario lo que está bien de lo que está mal según las pautas de la comunidad a la que pertenece, etc. Todo ello conforma lo que los estudiosos llaman «socialización primaria» del neófito, por la cual éste se convierte en un miembro más o menos estándar de la sociedad. Después la escuela, los grupos de amigos, el lugar de trabajo, etc., llevarán a cabo la sociali-

zación secundaria, en cuyo proceso adquirirá conocimientos y competencias de alcance más especializado. Si la socialización primaria se ha realizado de modo satisfactorio, la socialización secundaria será mucho más fructífera, pues tendrá una
base sólida sobre la que asentar sus enseñanzas; en
caso contrario, los maestros o compañeros debe-
rán perder mucho tiempo puliendo y civilizando
(es decir, haciendo apto para la vida civil) a quien
debería ya estar listo para menos elementales
aprendizajes. Por descontado, estos niveles en la
socialización y el concepto mismo de «socialización» no son tan plácidamente nítidos como la ortodoxia sociológica puede inducirnos a pensar.

En la familia las cosas se aprenden de un
modo bastante distinto a como luego tiene lugar
el aprendizaje escolar: el clima familiar está reca-
lentado de *afectividad*, apenas existen barreras
distanciadoras entre los parientes que conviven
juntos y la enseñanza se apoya más en el contagio
y en la seducción que en lecciones objetivamente
estructuradas. Del abigarrado y con frecuencia
hostil mundo exterior el niño puede refugiarse en
la familia, pero de la familia misma ya no hay es-
cape posible, salvo a costa de un desgarramiento
traumático que en los primeros años prácticamente nadie es capaz de permitirse. El aprendizaje familiar tiene pues como trasfondo el más
eficaz de los instrumentos de coacción: la amenaza de perder el cariño de aquellos seres sin los
que uno no sabe aún cómo sobrevivir. Desde la
más tierna infancia, la principal motivación de
nuestras actitudes sociales no es el deseo de ser
amado (pese a que éste tanto nos condiciona también) ni tampoco el ansia de amar (que sólo nos

seduce en nuestros mejores momentos) sino *el miedo a dejar de ser amado* por quienes más cuentan para nosotros en cada momento de la vida, los padres al principio, los compañeros luego, amantes más tarde, conciudadanos, colegas, hijos, nietos... hasta las enfermeras del asilo o figuras equivalentes en la última etapa de la existencia. El afán de poder, de notoriedad y sobre todo de dinero no son más que paliativos sobrecogidos y anhelosos contra la incertidumbre del amor, intentos de protegernos frente al desamparo en que su eventual pérdida nos sumiría. Por eso afirmaba Goethe que da más fuerza saberse amado que saberse fuerte: la certeza del amor, cuando existe, nos hace invulnerables. Es en el nido familiar, cuando éste funciona con la debida eficacia, donde uno paladea por primera y quizá última vez la sensación reconfortante de esta invulnerabilidad. Por eso los niños felices nunca se restablecen totalmente de su infancia y aspiran durante el resto de su vida a recobrar como sea su fugaz divinidad originaria. Aunque no lo logren ya jamás de modo perfecto, ese impulso inicial les infunde una confianza en el vínculo humano que ninguna desgracia futura puede completamente borrar, lo mismo que nada en otras formas de socialización consigue sustituirlo satisfactoriamente cuando no existió en su día.

Me refiero a una cosa rara, rarísima, quizá en cierto modo *perversa*, los niños felices, no los niños mimados o superprotegidos. Puede que se trate de un ideal inalcanzable en referencia al cual sólo pueden existir grados de aproximación, nunca la perfección irrebatible (también la felicidad familiar es una de esas capacidades abiertas de las que hablábamos en el capítulo precedente). En cualquier caso, tal es el ideal que justifica a la familia y también lo que más la compromete. La educación familiar funciona por vía del *ejemplo*, no por sesiones discursivas de trabajo, y está apoyada por gestos, humores compartidos, hábitos del corazón, chantajes afectivos junto a la recompensa de caricias y castigos distintos para cada cual, cortados a nuestra medida (o que configuran la medida que nos va a ser ya siempre propia). En una palabra, este aprendizaje resulta de la *identificación* total con sus modelos o del rechazo visceral, patológicamente herido de los mismos (no olvidemos, ¡ay!, que abundan más los niños infelices que los felices), nunca de su valoración crítica y desapasionada. La familia brinda un menú lectivo con mínima o nula elección de platos pero con gran condimento afectivo de los que se ofrecen. Por eso lo que se aprende en la familia tiene una indeleble fuerza persuasiva, que en los casos favorables sirve para el acrisolamiento de *principios* moralmente estimables que resistirán luego las tempestades de la vida, pero en los desfavorables hace arraigar *prejuicios* que más tarde serán casi imposibles de extirpar. Y claro está que la mayor parte de las veces principios y prejuicios van mezclados de tal modo que ni siquiera al interesado, muchos años más tarde, le resulta sencillo discernir los unos de los otros...

En cualquier caso, este protagonismo para bien y para mal de la familia en la socialización primaria de los individuos atraviesa un indudable eclipse en la mayoría de los países, lo que constituye un serio problema para la escuela y los maestros. Así se refiere a los efectos de esta mutación Juan Carlos Tedesco: «Los docentes perciben este fenómeno cotidianamente, y una de sus quejas más recurrentes es que los niños acceden a la escuela con un núcleo básico de socialización insuficiente para encarar con éxito la tarea de aprendizaje. Para decirlo muy esquemáticamente, cuando la familia socializaba, la escuela podía ocuparse de enseñar. Ahora que la familia no cubre plenamente su papel socializador, la escuela no sólo no puede efectuar su tarea específica con la tarea del pasado, sino que comienza a ser objeto de nuevas demandas para las cuales no está preparada.» El grito provocador de André Gide —«¡familias, os odio!»— que tanto eco tuvo en aquellos años sesenta propensos a las comunas y el vagabundeo, parece haber sido sustituido hoy por un suspiro discretamente murmurado: «familias, os echamos de menos...». Cada vez con mayor frecuencia, los padres y otros familiares a cargo de los niños sienten desánimo o desconcierto ante la tarea de formar las pautas mínimas de su conciencia social y las abandonan a los maestros, mostrando luego tanta mayor irritación ante los fallos de éstos cuanto que no dejan de sentirse oscuramente culpables por la obligación que rehúyen. Antes de ir más adelante será cosa de señalar un poco como a tientas algunas de las causas que concurren en esta desgana de la familia ante sus funciones específicas (hablo siempre de las funciones *educativas*, que la familia puede descuidar aun cumpliendo suficientemente otras).

No me refiero a causas sociológicas, como la incorporación de la mujer al mercado de trabajo y su igualación en muchos planos con los varones, la posibilidad de recurrir al divorcio y la variabilidad que introduce en las relaciones de pareja, la reducción del número de miembros fijos en la familia por ser cada vez más costosa o problemática la convivencia doméstica de varias generaciones de parientes, la «profesionalización» del servicio de hogar que pasa de ser el nivel más humilde de la escala familiar —pero familia al fin y al cabo— a una prestación puntual que sólo pueden permitirse de forma estable las elites económicas, etc. La principal consecuencia de estas transformaciones es que en los hogares modernos de los países desarrollados cada vez hay menos mujeres, ancianos y criados, que antes eran los miembros de la familia que más tiempo pasaban en casa junto a los niños. Pero dejemos a la sociología de la familia el estudio de esta evolución del núcleo doméstico, sus implicaciones laborales y urbanísticas, etc., pues no faltan precisamente análisis sobre tales temas que sería incapaz de mejorar y que me parece ocioso repetir.

Me atrevo en cambio a proponer otra vía de acercamiento al asunto, sin duda ligada en gran medida a lo anterior pero de corte más psicológico o si se prefiere estrictamente *moral*. Quiero referirme al fanatismo por lo juvenil en los modelos contemporáneos de comportamiento. Lo joven, la moda joven, la despreocupación juvenil, el cuerpo ágil y hermoso eternamente joven a costa de cualesquiera sacrificios, dietas y remiendos, la espontaneidad un poquito caprichosa, el deporte, la capacidad incansablemente festiva, la alegre camaradería de la juventud... son los ideales de nuestra época. De todas, quizá, pero es que en nuestra época no hay otros que les sirvan de alternativa más o menos resignada. Cioran dice en alguna parte que «quien no muere joven, merece morir». El espíritu del tiempo asegura hoy que quien no es joven ya está muerto. La obsesión terapéutica de nuestros Estados (dictada en gran parte por una sanidad pública siempre deseosa de ahorro) propone los síntomas de pérdida de juventud como la primera de las enfermedades, la más grave, la más *culpable* de todas. No hay ya —o no hay apenas— ideales *senior* en nuestras sociedades, salvo esos viejos monstruosos pero envidiados, por los cuales, como suele decirse, «no pasa el tiempo». Ser viejo y parecerlo, ser un viejo que asume el tiempo pasado, es algo casi obsceno que condena al pánico de la soledad y del abandono. A los viejos nadie les *desea* ya —ni erótica ni laboralmente— y la primera norma de la supervivencia social es mantenerse deseable. Para que la vida siga gustando es preciso vivir de gustar y, aunque sobre gustos se dice que no hay nada escrito, no parece aventurado escribir que a nadie le gustan demasiado los viejos.

Pero viejo se es enseguida: cada vez antes, ¡ay! Aunque las arterias aún resistan la esclerosis, se conserve la piel lozana y el paso razonablemente elástico, otros síntomas peligrosos denuncian la ancianidad. La madurez, por ejemplo, esa aleación de experiencia, paciente escepticismo, moderación y sentido de la responsabilidad. «La madurez lo es todo», dijo el pobre rey Lear, aunque demasiado tarde. Por mucho que de labios para afuera se le pueda dar la razón públicamente, en el fondo la madurez resulta sospechosa y peligrosamente antipática. Quienes por cronología deberían aceptarla se apresuran a rechazarla con esforzados ejercicios de inmadurez (junto a los que llevan a cabo para librarse de las canas, los «michelines» y el colesterol), recordando quizá que en su juventud se les enseñó a desconfiar de todos los mayores de treinta años como tiranos en potencia.

De ahí que la experiencia, ese aprendizaje por la vía del placer y del dolor, esté en franco desprestigio. El *senior* que se niega a serlo presenta frente a ella dos modalidades de repugnancia: o bien se enorgullece de su invulnerable continuidad («yo sigo pensando lo mismo que a los diecisiete años», como si el primero de los índices del pensamiento no fuese cambiar de forma de pensar), o bien sufre una *metanoia* absoluta de fidelidades e ideales que descarta por completo los del pasado como una enfermedad sin consecuencias: todo menos aceptar que a lo largo de los años no ha habido más remedio que *aprender* algo. Los revolucionarios más proclives a la retórica mística llevan largo tiempo reclamando el «hombre nuevo» que regenerará el orden del mundo y por eso idealizan la «generosa pureza» de los jóvenes, es decir, su falta de experiencia vital que se transforma fácilmente en radicalismo manipulable. En el terreno laboral, tampoco la experiencia tiene demasiado buena prensa, pues se prefiere el joven virgen de toda malicia y condicionamiento previo que por no tener aprendida ninguna maña anterior se hace tanto más rápidamente con el manejo de los novísimos aparatos que cada mes salen al mercado... amén de ser menos ducho en reivindicar derechos sindicales. El héroe de nuestro tiempo ya no es el protagonista de Lermontov sino Bill Gates o Macaulay Culkin, los adolescentes prodigiosos que ni siquiera han necesitado crecer para hacerse multimillonarios...

Sin embargo, para que una familia funcione educativamente es imprescindible que alguien en ella se resigne a ser *adulto*. Y me temo que este papel no puede decidirse por sorteo ni por una votación asamblearia. El padre que no quiere figurar sino como «el mejor amigo de sus hijos», algo parecido a un arrugado compañero de juegos, sirve para poco; y la madre, cuya única vanidad profesional es que la tomen por hermana ligeramente mayor de su hija, tampoco vale mucho más. Sin duda son actitudes psicológicamente comprensibles y la familia se hace con ellas más informal, menos directamente frustrante, más simpática y falible: pero en cambio la formación de la conciencia moral y social de los hijos no sale demasiado bien parada. Y desde luego las instituciones públicas de la comunidad sufren una peligrosa sobrecarga. Cuanto menos padres quieren ser los padres, más paternalista se exige que sea el Estado. Hace unos meses los medios de comunicación españoles se ocuparon de esas discotecas que abren noche y día ininterrumpidamente, permitiendo a los adolescentes fines de semana de tres días sin salir de ellas, viajando de unas a otras en un estado de sobriedad cada vez más deteriorado que se salda con frecuentes accidentes mortales de carretera, pérdida de concentración en los estudios, etc. Los padres, reconociendo que ellos no podían ser guardianes de sus hijos, exigían de papá Estado que cerrase esos establecimientos tentadores o al menos controlara policialmente con mayor rigor a quienes utilizan vehículos de motor para ir de unos a otros. No sé si estas medidas de vigilancia serán oportunas, pero sorprende en todo caso la facilidad con que esos progenitores daban por supuesto que, como ellos eran incapaces de hacerse cargo de sus vástagos, el Ministerio del Interior debía controlar a los de todos los españoles.

Se trata, como suele decirse, de una crisis de *autoridad* en las familias. Pero ¿qué supone dicha crisis? En primer lugar, una antipatía y recelo no tanto contra el concepto mismo de autoridad (se oyen cada vez más críticas a las instituciones por su falta de autoridad y se reclama histéricamente «mano dura») sino contra la posibilidad de ocuparse personalmente de ella en el ámbito familiar del que se es responsable. En su esencia, la autoridad no consiste en *mandar*: etimológicamente la palabra proviene de un verbo latino que significa algo así como «ayudar a crecer». La autoridad en la familia debería servir para ayudar a crecer a los miembros más jóvenes, configurando del modo más afectuoso posible lo que en jerga psicoanalítica llamaremos su «principio de realidad». Este principio, como es sabido, implica la capacidad de restringir las propias apetencias en vista de las de los demás, y aplazar o templar la satisfacción de algunos placeres inmediatos en vistas al cumplimiento de objetivos recomendables a largo plazo (recordemos aquí lo dicho en el capítulo anterior sobre la educación como incardinación en el tiempo del educando). Es natural que los niños carezcan de la experiencia vital imprescindible para comprender la sensatez racional de este planteamiento y por eso hay que enseñárselo. Los niños —esta obviedad es frecuentemente olvidada— son educados para ser adultos, no para seguir siendo niños. Son educados para que crezcan mejor, no para que no crezcan... puesto que de todos modos, bien o mal, van a crecer irremediablemente. Si los padres no ayudan a los hijos con su autoridad amorosa a crecer y prepararse para ser adultos, serán las instituciones públicas las que se vean obligadas a imponerles el principio de realidad, no con afecto sino por la fuerza. Y de este modo sólo se logran envejecidos niños díscolos, no ciudadanos adultos libres.

Lo más desagradable del principio de realidad es que tiene su origen en el *miedo*. Comprendo que esta constatación despierte repulsa, pero no hay más remedio que asumirla si se quiere conseguir ese don melancólico tardíamente elogiado por Lear, la madurez, y con él la capacidad de educar a otros. El miedo no es sino la primera reacción que produce contemplar de frente el rostro de nuestra finitud. El Eclesiastés asegura que el temor es el principio de la sabiduría y con razón, porque el saber humano comienza con la certidumbre aterradora de la muerte y las limitaciones que esta frágil condición perecedera nos impone: necesidad de alimento, de cobijo, de apoyo social, de comunicación y cariño, de templanza, de cooperación. Del miedo a la muerte (es decir, de cualquier miedo, pues todos los miedos son metáforas de nuestro miedo primordial) provendrá el *respeto* por la realidad y en especial el respeto por los semejantes, colegas y cómplices de nuestra finitud. El objetivo de la educación es aprender a respetar por alegre interés vital lo que comenzamos respetando por una u otra forma de temor. Pero no podemos abolir el miedo del comienzo del aprendizaje y es ese miedo primero, controlado por la autoridad paternal, el que nos vacunará para que no tengamos más tarde que estrellarnos contra terrores frente a los que no estaremos preparados. O partimos de un miedo infantil que nos ayude a ir madurando o desembocaremos puerilizados en un pánico mucho más destructivo, contra el que quizá exijamos la protección de algún superpadre tiránico en la cúspide de la sociedad: nunca aprenderemos a librarnos del miedo si nunca hemos temido y aprendido después a razonar a partir de ese temor.

La mayoría de las formas de aprendizaje implican un esfuerzo que sólo se afrontará en sus fases iniciales si se cuenta con un principio de realidad suficientemente asentado. Quizá sea Bruno Bettelheim, un psicoanalista que ha estudiado la importancia del miedo en los cuentos de hadas infantiles (y, contra ciertos prejuicios *políticamente correctos*, subraya la importancia de las fantasías terroríficas en la formación de la personalidad), quien ha explicitado con menos rodeos este requisito incómodo de la formación básica: «Así, mientras que la conciencia tiene su origen en el miedo, todo aprendizaje que no proporcione un placer inmediato depende de la previa formación de la conciencia. Es verdad que un exceso de miedo obstaculiza el aprendizaje, pero durante mucho tiempo todo aprendizaje que exija mucha aplicación no irá bien a menos que sea motivado también por cierto miedo controlable. Esto es así hasta que el interés propio o egoísmo alcanza el nivel de refinamiento preciso para constituir por sí solo una motivación suficiente para impulsar desde sí mismo las acciones de aprendizaje, aunque resulten dificultosas. Raramente ocurre así antes de que la adolescencia esté ya muy avanzada, es decir, cuando la formación de la personalidad ha quedado completada en esencia.» Pero existe un consenso en el pensamiento pedagógico ilustrado sobre lo negativo de una educación basada en el temor autoritariamente inculcado a la venganza de dioses o demonios. ¿A qué miedo se refiere entonces Bettelheim? Oigámosle: «Ya no podemos o queremos basar el aprendizaje académico en el miedo. Sabemos que el miedo cobra un precio tremendo en forma de inhibición y rigidez. Pero el niño debe temer algo si queremos que se aplique a la ardua tarea de aprender. Opino que, para que prosiga la educación, los niños tienen que haber aprendido a tener miedo de algo antes de ingresar en la escuela. Si no se trata del miedo a condenarse o a ser encerrados en la leñera, entonces en estos tiempos más ilustrados tiene que ser, cuando menos, el miedo a perder el amor y el respeto de los padres (o más tarde, por poderes, el del maestro) y, finalmente, el miedo a perder el respeto a sí mismo.»

Quienes hemos sido educados en sociedades dictatoriales (aunque en mi caso, afortunadamente, no padecí una vida familiar dictatorial en absoluto) estamos por lo general convencidos del adelanto que supone aliviar de intimidaciones abusivas los primeros años de la enseñanza. Pero también es preciso comprender que la desaparición de toda forma de autoridad en la familia no predispone a la libertad responsable sino a una forma de caprichosa inseguridad que con los años se refugia en formas colectivas de autoritarismo. El modelo de autoridad en la familia tradicional de nuestras sociedades ha sido el padre, una figura cuya dimensión temible y amenazadora —aunque también afectuosa y justa— ha propiciado en ocasiones excesos sádicos cuyo influjo aniquilador describe magistralmente la *Carta al padre* de Franz Kafka. Dentro del general eclipse actual de la familia como unidad educativa, la figura del padre es la más eclipsada de todas: el papel más cuestionado y menos grato de asumir, el triste encargado de administrar la frustración. Según la investigación llevada a cabo por un sociólogo italiano especializado en estudios sobre la familia, Carmine Ventimiglia, la mayoría de los padres actuales de Italia no tienen como modelo de relación ideal con los hijos la que tuvieron con sus padres sino la que mantuvieron con sus madres: «quiero ser un buen padre... como mi madre lo fue conmigo». Los adelantos de la protección social de madres divorciadas o solteras ha facilitado en países del norte de Europa y en Estados Unidos una decadencia de la autoridad paterna. Sin embargo, el desdibujamiento o la abolición de esta figura plantea unas dificultades de identificación positiva a los jóvenes que otros estudiosos relacionan directamente con el aumento de delincuencia juvenil y la pérdida destructiva de modelos de autoestima. Parece peligroso que sólo las formas más integristas y teocráticamente despóticas de familia sigan decididas a conservar el modelo de autoridad paterna. Quizá el reto ilustrado actual sea proponer y asumir un tipo de padre con suficiente autoridad para gestionar el miedo iniciático en el que se funda el principio de realidad, pero también con la tierna solicitud doméstica, próxima y abnegada, que ha caracterizado secularmente el papel familiar de la madre. Un padre que no renuncie a serlo pero a la vez que sepa *maternizarse* para evitar los abusos castradoramente patriarcales del sistema tradicional...

Pero no todos los motivos del eclipse de la familia como factor de socialización primaria provienen de cambios ocurridos en los adultos. También hay que contar con la radical transformación del estatuto de los propios niños, que permitió hace ya tres lustros a Neil Postman titular así de provocadoramente su libro más famoso: *La desaparición de la infancia*. El agente que señaló Postman como causante de esta desaparición fue precisamente la *televisión*. Casi escucho el suspiro de alivio que muchos de los lectores más beatos de este libro acaban de exhalar: ¡por fin empiezan los anatemas contra la caja tonta!, ¡era preocupante que un ensayo sobre educación tardase tanto en arremeter contra la fuente principal de todos nuestros males educativos! Bueno, les ruego un poco más de paciencia, porque quizá ni Postman ni yo vamos a darles gusto todavía. La revolución que la televisión causa en la familia, sobre todo por su influencia en los niños, nada tiene que ver según el sociólogo americano con la perversidad bien sabida de sus contenidos sino que proviene de su eficacia como instrumento para comunicar conocimientos. El problema no estriba en que la televisión no eduque lo suficiente sino en que educa demasiado y con fuerza irresistible; lo malo no es que transmita falsas mitologías y otros embelecos sino que desmitifica vigorosamente y disipa sin miramientos las nieblas cautelares de la ignorancia que suelen envolver a los niños para que sigan siendo niños. Durante siglos, la infancia se ha mantenido en un limbo aparte del que sólo iban saliendo gradualmente los pequeños de acuerdo con la voluntad pedagógica de los mayores. Las dos principales fuentes de información eran por un lado los libros, que exigían un largo aprendizaje para ser descifrados y comprendidos, y por otro las lecciones orales de padres y maestros, dosificadas sabiamente. Los modelos de conducta y de interpretación del mundo que se ofrecían al niño no podían ser elegidos voluntariamente ni rechazados, porque carecían de alternativa. Sólo llegados ya a cierta madurez y curados de la infancia iban los neófitos enterándose de que existían más cosas en el cielo y en la Tierra de las que hasta entonces se les había permitido conocer. Cuando la información revelaba las alternativas posibles a los dogmas familiares, dando paso a las angustiosas incertidumbres de la elección, la persona estaba lo suficientemente formada para soportar mejor o peor la perplejidad.

Pero la televisión ha terminado con ese progresivo desvelamiento de las realidades feroces e intensas de la vida humana. Las verdades de la carne (el sexo, la procreación, las enfermedades, la muerte...) y las verdades de la fuerza (la violencia, la guerra, el dinero, la ambición y la incompetencia de los príncipes de este mundo...) se hurtaban antes a las miradas infantiles cubriéndolas con un velo de recato o vergüenza que sólo se levantaba poco a poco. La identidad infantil (la mal llamada «inocencia» de los niños) consistía en ignorar esas cosas o no manejar sino fábulas acerca de ellas, mientras que los adultos se caracterizaban precisamente por poseer y administrar la clave de tantos secretos. El niño crecía en una oscuridad acogedora, levemente intrigado por esos temas sobre los que aún no se le respondía del todo, admirando con envidia la sabiduría de los mayores y deseoso de crecer para llegar a ser digno de compartirla. Pero la televisión rompe esos tabúes y con generoso embarullamiento *lo cuenta todo*: deja todos los misterios con el culo al aire y la mayoría de las veces de la forma más literal posible. Los niños ven en la pantalla escenas de sexo y matanzas bélicas, desde luego, pero también asisten a agonías en hospitales, se enteran de que los políticos mienten y estafan o de que otras personas se burlan de cuanto sus padres les dicen que hay que venerar. Además, para ver la televisión no hace falta aprendizaje alguno especializado: se acabó la trabajosa barrera que la alfabetización imponía ante los contenidos de los libros. Con unas cuantas sesiones cotidianas de televisión, incluso viendo sólo los programas menos agresivos y los anuncios, el niño queda al cabo de la calle de todo lo que antes le ocultaban los adultos, mientras que los propios adultos se van infantilizando también ante la «tele» al irse haciendo superflua la preparación estudiosa que antes era imprescindible para conseguir información.

La televisión ofrece modelos de vida, ejemplos y contraejemplos, viola todos los recatos y promociona entre los pequeños esa urgencia de elegir inscrita en la abundancia de noticias a menudo contradictorias (junto al mar de dudas que la acompañan). Pero hay algo más: la televisión no sólo opera dentro de la familia sino que emplea también los cálidos y acríticos instrumentos persuasivos de la educación familiar. «La televisión tiende a reproducir los mecanismos de socialización primaria empleados por la familia y por la Iglesia: socializa a través de gestos, de climas afectivos, de tonalidades de voz y promueve creencias, emociones y adhesiones totales» (J. C. Tedesco). Mientras que la función educativa de la autoridad paternal se eclipsa, la educación televisiva conoce cada vez mayor auge ofreciendo sin esfuerzo ni discriminación pudorosa el producto ejemplarizante que antes era manufacturado por la jerárquica artesanía familiar. Con la misma capacidad de suscitar identificación ilimitada pero también con promiscuo y abigarrado descontrol. No

hay nada tan educativamente subversivo como un
televisor: lejos de sumir a los niños en la ignorancia,
como creen los ingenuos, les hace aprenderlo todo
desde el principio sin respeto a los trámites pedagógicos... ¡Ay, si por lo menos los padres estuvieran
junto a ellos para acompañarles y comentar ese im-
púdico bombardeo informativo que tanto acelera su
instrucción! Pero lo propio de la televisión es que
opera cuando los padres no están y muchas veces
para distraer a los hijos de que los padres no están...
mientras que en otras ocasiones están, pero tan mu-
dos y arrobados ante la pantalla como los propios
niños.

La tarea actual de la escuela resulta así doble-
mente complicada. Por una parte, tiene que encargarse de muchos elementos de formación básica de
la conciencia social y moral de los niños que antes
eran responsabilidad de la socialización primaria
llevada a cabo en el seno de la familia. Ante todo,
tienen que suscitar el principio de realidad necesario para que acepten someterse al esfuerzo de
aprendizaje, una disciplina que es previa a la enseñanza misma pero que ellos deben administrar junto con los contenidos secundarios de la enseñanza
que les son tradicionalmente propios. Y todo esto
deben conseguirlo con los métodos característica-
mente modernos de la escuela, más distanciados y
menos afectivos que los del ámbito familiar, que no
pretenden sugestionar con identificaciones totales
sino con un acercamiento más crítico e intelectual.
Precisamente una de las cuestiones metodológicas
primordiales de la enseñanza ilustrada es despertar
un cierto escepticismo científico y una relativa de-
sacralización de los contenidos transmitidos, como
método antidogmático de llegar al máximo de co-

nocimiento con el mínimo de prejuicios. Tarea que deben llevar a cabo además no sólo en sustitución de la socialización familiar sino en competencia con la socialización televisiva, hipnótica y acrítica, que están recibiendo constantemente sus pupilos.

El maestro antes podía jugar con la curiosidad de los alumnos, deseosos de llegar a penetrar en misterios que aún les estaban vedados y dispuestos para ello a pagar el peaje de saberes instrumentales de adquisición a menudo trabajosa. Pero ahora los niños llegan ya hartos de mil noticias y visiones variopintas que no les ha costado nada adquirir... ¡que han recibido hasta sin querer! El maestro tiene que ayudarles a organizar esa información, combatirla en parte y brindarles herramientas cognoscitivas para hacerla provechosa o por lo menos no dañina. Y todo ello sin convertirse él mismo en un nuevo sugestionador ni pedir otra adhesión que la de unas inteligencias en vías de formación responsable hacia su autonomía. Empresa titánica... remunerada con sueldo bajo y escaso prestigio social.

Y sin embargo esta nueva situación educativa, aunque multiplique las dificultades en el camino de los maestros, también abre posibilidades prometedoras para la formación moral y social de la conciencia de los futuros ciudadanos. Como ya quedó señalado, la socialización familiar tendía a la perpetuación del prejuicio y a la esclerosis en la aceptación obligada de modelos vitales. En demasiadas ocasiones, los padres no educan para ayudar a crecer al hijo sino para satisfacerse modelándolo a la imagen y semejanza de lo que ellos quisieran haber sido, compensando así carencias y frustraciones propias. En el apéndice de este libro encontrará el lector una carta de Franz Kafka dirigida a una amiga suya, donde defiende la socialización institucional por encima y contra cualquier educación familiar, con argumentos lúcidos que no deben dejar de ser considerados... viniendo de alguien que sabía por experiencia propia de lo que estaba hablando. De modo semejante Juan Carlos Tedesco cree preciso «señalar las potencialidades liberadoras que abre una socialización más flexible y abierta. Si la responsabilidad por la formación ética, por los valores y los comportamientos básicos pasa a depender ahora mucho más que en el pasado de instituciones y agentes secundarios, también se abren mayores posibilidades de promover concepciones tolerantes y diversas».

De los principales objetivos de esta socialización democrática ilustrada, que debe ser tolerante pero en modo alguno neutral frente a los valores contrapuestos en la sociedad moderna, hablaremos extensamente en el capítulo sexto de este libro. Pero ahora, para concluir la reflexión iniciada sobre el eclipse educativo de la familia, me gustaría bosquejar la forma que puede tener la escuela actual de acercarse a algunos de esos temas que en buena lógica deberían pertenecer más bien a la socialización familiar. Me referiré brevemente a *la ética, la religión, el sexo, las drogas y la violencia*. Nótese que todas ellas son cuestiones sobre las que urge casi histéricamente buena parte de la demanda social, que reclama con irritada angustia a la escuela la consolidación casi taumatúrgica de los mismos valores que ella en las casas o en las calles ha renunciado a definir y a defender.

Empecemos por la *ética* y la *religión*. Una actitud escolar vagamente inspirada en Jean Piaget sostiene que la ética no puede enseñarse de modo temático, como una asignatura más, sino que debe ejemplarizarse en toda la organización del centro educativo, en las actitudes de los maestros y su relación con los alumnos, así como impregnar el enfoque docente de cada una de las materias. En voz más baja, se añade que eso resuelve el problema de cuál es la ética que debe enseñarse, pues en las sociedades pluralistas por lo visto hay muchas éticas distintas (he oído decir a un responsable del Ministerio de Educación que la ética no puede ser una asignatura «porque cada cual tiene la suya»). Por otra parte, los partidarios de que se conserve en el plan de estudios un tiempo lectivo dedicado al adoctrinamiento religioso (¡puntuado como una asignatura más!) proponen la ética como alternativa laica a la asignatura de religión, pretendiendo convertirla en un adoctrinamiento sustitutorio para quienes no escuchan sermones dominicales en los templos. Y no podemos quejarnos demasiado, porque hay países donde la ética y la religión llegan a mezclarse de tal modo que la formación moral la dejan directamente las autoridades civiles en manos de eclesiásticos.

La idea de que los valores morales le lleguen al niño por vía indirecta, asistiendo a clases de otras materias o participando en actividades escolares, puede ser válida en los primeros años de la enseñanza pero más adelante se hace con toda evidencia insuficiente. Como ha señalado John Dewey, no hay que confundir el aprendizaje directo o indirecto de nociones morales con el que enseña nociones *acerca* de la moral y de los argumentos que la sustentan. Es bueno que los niños adquieran hábitos de cooperación, respeto al prójimo y autonomía

personal, por ejemplo, pero sin duda esas provechosas lecciones empíricas les vendrán mezcladas
con otras no tan edificantes aunque no menos ex-
perimentales que les enseñarán el valor ocasional
de la mentira, la adulación o el abuso de fuerza.
Por eso es importante enseñarles después temáti-
camente el sentido de las preferencias éticas, que
son *ideales racionales* y no simples rutinas sociales
para alcanzar tal o cual ventaja a corto plazo sobre
los demás. No es cierto, claro está, que el pluralismo de la sociedad democrática quiera decir que
cada cual pueda tener su ética y todas valgan igual.
Lo que cada cual tiene es su *conciencia moral*, ésa
sí personal e intrasferible. En cuanto a los valores,
puede argumentarse la superioridad ética de unos
sobre otros, empezando por valorar el mismo pluralismo que permite y aprecia la diversidad.

La reflexión sobre los valores, junto al debate
crítico acerca de su plasmación social, constituyen
de por sí pautas imprescindibles tanto de formación como de información moral. A lo largo de la
historia los moralistas han concentrado unánimemente su mensaje en tres virtudes esenciales de las
que se deducen con más o menos facilidad todas
las demás: el *coraje* para vivir frente a la muerte, la
generosidad para convivir con los semejantes y la
prudencia para sobrevivir entre necesidades que no
podemos abolir. Las tres virtudes y sus corolarios
están directamente relacionadas con la afirmación
de la vida humana y no dependen de caprichos ar-
bitrarios, ni de revelaciones místicas, ni siquiera
corresponden a un tipo determinado de sistema social. Provienen sin rodeos del anhelo básico de *vivir más y mejor*, a cuyo impulso sirve el proyecto
ético desde la conciencia individual y las institu-

ciones sociopolíticas en el plano comunitario... al menos en su designio ideal.

A partir de este anhelo enraizado en la condición humana pueden darse razones inteligibles a favor de la sinceridad y contra el engaño o a favor del apoyo al débil frente a su aniquilación. Comprender en cambio los motivos por los que la masturbación es un grave pecado o las transfusiones de sangre son abominables exige fe en revelaciones misteriosas en las que no todo el mundo está dispuesto a creer. Desde luego, quienes hagan suyas esas convicciones deben ser respetados y tienen derecho a comportarse de acuerdo con su propio patrón de excelencia, pero dicho criterio pertenece a la religión, no a la ética. La ética se distingue de la religión en su objetivo (la primera quiere una vida mejor y la segunda algo mejor que la vida) y en su método (la primera se basa en la razón y la experiencia, la segunda en la revelación). Pero es que además la ética es cosa de todos, mientras que la religión es cuestión de unos cuantos, por muchos que sean: las personas religiosas también tienen intereses éticos, mientras que no todo el que se interesa por la ética ha de tener intereses religiosos. Lejos de ser una alternativa, la ética y la religión sirven para ejemplificar ante los estudiantes la diferencia entre aquellos principios racionales que todos podemos comprender y compartir (sin dejar de discutirlos críticamente) frente a doctrinas muy respetables pero cuyo misterio indemostrable sólo unos cuantos aceptan como válido. Precisamente éste puede ser el primer tema que un buen profesor de filosofía brindará como reflexión ética inicial a sus alumnos.

¿Y la instrucción religiosa para aquellos que la deseen o quieran que la reciban sus hijos? Es una opción privada de cada cual que el Estado no debe obstaculizar en modo alguno pero que tampoco está obligado a costear a los ciudadanos. La catequesis es libre en una democracia pluralista, pero sin duda gana en libertad y diversidad cuando el ministerio público ni la financia ni la administra. Quizá los planes de estudio puedan incluir alguna asignatura que trate de la historia de las religiones, de símbolos y mitologías, con preferente atención si se quiere a la tradición greco-romano-cristiana que tan importante es para comprender la cultura europea a la que pertenecemos. Pero no será prescriptiva sino descriptiva: no se ocupará de formar a los creyentes sino de informar a los estudiantes. Y desde luego no ha de estar a cargo de un cuerpo especial de profesores vinculado al obispado (ni a los ulemas, ni a los rabinos, ni a los derviches...) sino de especialistas en filosofía, en historia o en antropología. Sólo así podrá ser evaluada para el currículo académico como cualquier otra, porque la fe —al menos la buena fe— no admite puntuaciones terrenales. Y su inclusión o no en los planes de estudio debe atender a las mismas consideraciones que cualquier otra materia docente, no a quienes usan como argumento los pactos con una Iglesia que además resulta estar encabezada por un Estado extranjero. No voy a entrar en el contenido de esa asignatura hipotética, pero supongo que no podrá obviar la mención de las numerosas libertades públicas de que hoy gozan los Estados democráticos que se consiguieron gracias a la lucha de muchos incrédulos contra el influjo reaccionario de las iglesias, que sólo suelen hacerse civilmente tolerantes cuando pierden o ven radicalmente disminuida su autoridad social.

Una palabra ahora sobre la educación *sexual*. Hace unas cuantas décadas aún era posible discutir sobre cuándo sería más prudente iniciar la información acerca de temas sexuales y cómo resultaría más aconsejable graduar esa iniciación delicada. Pero hoy el influjo subversivo de la televisión (así como también la mayor permisividad de las costumbres) ha transformado radicalmente el panorama. Los niños no crecen ya en un mundo de secretos cuyo recato a menudo debía más a la hipocresía que al pudor, sino en un contexto de solicitaciones e imágenes literalmente *desvergonzado*. Antaño la educación sexual debía combatir los mitos propiciados por el ocultamiento que convertía todo lo sexual en «obsceno» (es decir, que lo dejaba fuera del escenario, entre bambalinas), mientras que ahora tiene que enfrentarse a los mitos nacidos de un exceso de explicitud tumultuoso y comercializado que pone el sexo constantemente bajo los reflectores de la atención pública. En ambos casos, antes y ahora, se juega con la credulidad con que acogemos cuanto excita intensamente deseos y temores.

Desde luego, una buena instrucción en los aspectos biológicos e higiénicos es inexcusable. Los niños y adolescentes entran cada vez antes en contacto con la práctica sexual, por lo que nada puede resultarles más perjudicial que conocer sólo a medias el funcionamiento del alegre tiovivo al que van a subirse... o al que otros más experimentados les querrán subir. Informar con claridad y sentido común no es una incitación al libertinaje sino una ayuda para evitar que los gozos de la exuberante salud juvenil produzcan víctimas por mera ignorancia. En estos tiempos en que a los riesgos clásicos —v. gr.: los embarazos indeseados— se une la siniestra amenaza del sida, es sorprendentemente suicida la desproporción que sigue existiendo entre la libertad de que gozan los jóvenes y su desconocimiento aterrador de las luces y sombras de su juguete favorito. Pero la mera información orgánica no puede dar cuenta de la mayor parte de la realidad erótica, pues poco dice del matrimonio, la prostitución, la pornografía, la homosexualidad, la paternidad, la ternura sensual y tantos otros meandros interpersonales por los que discurren las sobrias verdades carnales. Suponer que las noticias biológicas educan suficientemente sobre el sexo es como creer que basta para entender la guerra conocer el mecanismo muscular puesto en juego al asestar un bayonetazo y la forma de atender luego al herido...

Desculpabilizar el placer sexual es cosa siempre encomiable. El puritanismo rebrota una y otra vez, según prueban ciertas interpretaciones clericales sobre el sida como flagelo divino o las protestas conservadoras ante una simple campaña de información sobre el uso de los preservativos. Aún no hace mucho que una profesora de biología fue sancionada en España por haber solicitado que sus alumnos aportasen, junto a una gota de sudor y otra de sangre, una gota de semen para las prácticas de laboratorio. Por lo visto el semen es un fluido que nace de la perversidad, a diferencia del simple sudor que brota del ejercicio... Pero en la actualidad parece que la propaganda de los gozos sexuales está ampliamente asegurada por numerosos medios de comunicación y necesita pocos apoyos escolares. Donde antes hubo aprensión culpabilizadora por atreverse a hacer, el bombardeo del consumismo erótico vigente parece imponer la culpabilidad de no haber hecho todavía o no haber hecho lo suficiente. Quizá hoy el puritanismo a combatir sea de orden distinto. El de antaño predicaba que el sexo sólo es lícito cuando se encamina a la procreación; el de ahora, no menos puritano, insinúa que la procreación puede desligarse del placer sexual y que son tan válidos los hijos de la probeta como los hijos del amor. Es bueno recordar que el sexo es algo mucho más amplio —deliciosamente más amplio— que la vía de reproducción de la especie, pero es debido insistir también en que cada uno de nosotros nacemos de un apasionamiento físico entre personas de sexo complementario y que ambas figuras —paterna y materna— son esenciales para el desarrollo psíquico equilibrado del individuo. Viendo la televisión, los niños pueden llegar a suponer que las relaciones sexuales no son más que una especie de maratón donde sólo importa que cada cual obtenga lo suyo del modo más copioso y fácil posible, sin miramientos ni responsabilidad hacia el otro; es importante tarea educativa explicar que el sexo nada tiene que ver con los récords olímpicos, que es más rico cuando involucra sentimientos y no sólo sensaciones, que lo importante no es practicarlo cuanto antes y cuanto más mejor, sino saber llegar a través de él a la más dulce y fiera de las vinculaciones humanas.

La cuestión de las *drogas* es quizá el más difícil de los puntos que se encarga tratar educativamente a los maestros. Y no por culpa de éstos, claro, sino por la demencial situación que ha creado en todo el mundo la prohibición de ciertas drogas y la subsiguiente cruzada que Estados Unidos encabeza contra ellas. ¿Cómo pueden explicarse razonablemente los *usos* de unas sustancias que por decreto policial sólo pueden ser utilizadas con *abuso*? Esta arbitraria prohibición resulta no ya ineficaz sino del todo contraproducente, porque al impedir que se establezcan pautas de uso la tentación abusiva se hace irresistible y frenética... sobre todo cuando el gigantesco negocio de los narcotraficantes depende además de que se mantenga en toda su obcecación puritana la narcocruzada, con lo cual la propaganda del producto vedado no puede decaer. En tal situación sobrecargada ¿qué puede decir el maestro, además de lo de «pupa, nene»?

Dado el desarrollo de la química y la facilidad de producir droga sintética por medios casi caseros, los jovenes van a vivir irremediablemente toda su vida entre productos alucinógenos, euforizantes o estupefacientes. En cada uno de ellos hay efectos positivos, porque si no nadie los buscaría, y otros nocivos, que no dependen de la perversidad del invento sino de la dosis en que sea tomado, la fiabilidad química de la sustancia, el estado físico y anímico de quien lo consume, etc. Pero ¿cómo puede enseñarse a manejar lo que la delincuencia organizada a partir de la prohibición, la adulteración sin control y la mitología de la transgresión han convertido en letalmente inmanejable? Las interminables disquisiciones acerca de por qué se drogan los jóvenes son ejemplarmente estériles. ¿Por qué se drogan? En unos casos influirá la situación familiar, en otros el mimetismo o la curiosidad, en la mayoría el largo período de escolaridad y la prolongada dependencia de los padres ante el futuro laboral incierto, etc. Pero sobre todo se consumen drogas *porque las drogas están ahí*, por todas partes, tal y como van a seguir estando en cualquier futuro previsible de las sociedades democráticas: su cantidad y número de variedades no ha dejado de aumentar un solo día desde que fueron prohibidas.

Imagínense ustedes que sobre los automóviles no recibiesen los jóvenes más que dos tipos de información: la de los anunciantes y la crónica de accidentes de tráfico. La publicidad les presentaría vehículos omnipotentes que transcurren en paisajes de maravilla y prometen la compañía de las más sugestivas beldades; por otro lado se les iba a brindar la nómina de familias despanzurradas entre hierros retorcidos, atropellos fatales y conductores que dan una cabezadita para luego prolongar eternamente el sueño en el fondo de algún precipicio. Los unos muestran un falso paraíso para todos, los otros el infierno muy cierto de unos cuantos. ¿Qué faltaría aquí? Quizá la noticia objetiva de que los coches sirven para trasladarse de un lugar a otro con cierta comodidad, aunque su uso desmedido produce atascos de tráfico y los excesos de velocidad pueden ser fatales. Pero sobre todo faltaría el profesor que enseña a conducir a quien decide utilizar uno de esos vehículos. No necesito añadir lo que ocurriría además si los autos hubiese que comprarlos de segunda mano a bandas de gángsters y todas las gasolineras y los talleres de reparaciones funcionasen en la clandestinidad...

En la escuela sólo se pueden enseñar los usos responsables de la libertad, no aconsejar a los alumnos que renuncien a ella. Algunos pseudoeducadores dicen que la droga no es cuestión de libertad personal porque el drogadicto pierde el libre albedrío: ¡como si no perdiese también la libertad de ser soltero quien se casa, la de convertirse en atleta quien dedica sus horas al estudio o la libertad de permanecer en casa quien emprende un viaje! Cada elección libre determina decisivamente la orientación de nuestras elecciones futuras y ello no es un argumento contra la libertad sino el motivo para tomarla en serio y ser responsable. Estos moralistas de pacotilla que confunden la pérdida de la libertad con las determinaciones que nos llegan por su empleo suelen ser santurrones pero olvidan lo que dijeron antaño santos más fiables. Por ejemplo san Juan Crisóstomo, en el siglo IV d. J.C.: «Oigo gritar al hombre: ¡ojalá no hubiese vino! Qué insensatos. ¿Qué culpa tiene el vino de los abusos? Si dices "ojalá no hubiese vino" a causa de la embriaguez, entonces habría que decir "ojalá no hubiese noche" a causa de los ladrones, "ojalá no hubiese luz" a causa de los delatores y "ojalá no hubiese mujeres" a causa del adulterio.» En la situación actual, mientras siga vigente la absurda penalización del uso de drogas, los esfuerzos de los maestros por preparar a los jóvenes para afrontar este embrollado disparate no pueden ir más allá de recomendarles que no mitifiquen la ilegalidad... ni la legalidad mucho menos.

Y vamos con la *violencia*. También en esta cuestión una cierta timorata hipocresía enturbia notablemente la posibilidad de que la escuela ayude a la sociedad a prevenir la violencia indeseable y a encauzar positivamente la inevitable (hasta deseable incluso, no seamos mojigatos). A la pregunta horrorizada «¿por qué los jóvenes son violentos?» habría que responder para empezar: ¿y por qué no habrían de serlo? ¿No lo son sus padres y lo fueron sus abuelos y tatarabuelos? ¿Es que acaso la violencia no es un componente de las sociedades humanas tan antiguo y tan necesario como la concordia? ¿No es un cierto uso de la violencia colectiva el que ha defendido a los grupos del capricho destructivo de los individuos? ¿No es también cierto uso de la violencia particular de algunos lo que se ha opuesto a las tiranías y ha obligado a que fueran atendidas las reivindicaciones de los oprimidos o los proyectos de los reformadores? Digámoslo claramente, es decir, pedagógicamente: una sociedad humana desprovista de cualquier atisbo de violencia sería una sociedad perfectamente *inerte*. Y éste es el dato fundamental que cualquier educador debe tener en cuenta al comenzar a tratar el hecho de la violencia. No es un fenómeno perverso, inexplicable y venido de no se qué mundo diabólico, sino un componente de nuestra condición que debe ser compensado y mitigado racionalmente por el uso de nuestros impulsos no menos naturales de cooperación, concordia y ordenamiento pacífico. De hecho, la virtud fundamental de nuestra condición violenta es habernos enseñado a *temer* la violencia y a valorar las instituciones que hacen desistir de ella.

En uno de los numerosos congresos variopintos sobre el tema, celebrado en Valencia cuando yo escribía este capítulo, un «experto» americano se descolgó diciendo que si se suprimiesen o redujesen al mínimo las horas que niños y adolescentes ven la televisión se evitarían cuarenta mil asesinatos y setenta mil violaciones anuales (o al revés, lo mismo da). Este tipo de majaderías tiene un predicamento asombroso. Por lo visto, los jóvenes no cultivarían fantasías violentas si no les fueran inculcadas por televisión. Con la misma razón podríamos decir que la televisión tiene una función catártica para expulsar los demonios interiores y que gracias a la televisión no se cometen aún más crímenes y violaciones... O que nuestra civilización es violenta porque la principal de nuestras religiones venera a un instrumento de tortura —la cruz— y glorifica la sangre de los mártires (lo cual se ha dicho, por cierto). Tales planteamientos violan la primera norma de cordura, que es separar la fantasía de la realidad, y olvidan una lección que se remonta por lo menos hasta Platón: que la diferencia entre el malvado y el justo es que el primero lleva a cabo las fechorías que el otro sólo sueña y descarta. Se dice beatamente: hay que enseñar que la violencia nunca debe ser respondida con la violencia. Rotundamente falso y nada se gana enseñando falsedades. Por el contrario, hay que explicar que la violencia *siempre* es respondida antes o después por la violencia como único medio de atajarla y que es precisamente esa cadena cruel de estímulo y respuesta la que la hace temible e impulsa a tratar de evitarla en lo posible (¿recuerdan lo que antes dijimos sobre el inevitable papel pedagógico del miedo?). De nuevo en este caso es Bruno Bettelheim quien expone de modo más convincente la línea a seguir por los maestros en este cuestión: «Si permitimos que los niños hablen francamente de sus tendencia agresivas, también llegarán a reconocer la índole temible de tales tendencias. Sólo esta clase de reconocimiento puede conducir a algo mejor que, por un lado, la negación y la represión y, por otro, un estallido en forma de actos violentos. De esta manera la educación puede inspirar el convencimiento de que para protegerse a uno mismo, y para evitar experiencias temibles, hay que afrontar constructivamente las tendencias a la violencia, tanto las propias como las ajenas.»

Tanto respecto a la violencia como respecto a las drogas o al sexo, nada resulta pedagógicamente menos aconsejable que las grandes declamaciones virtuosas tipo «todo o nada» lanzadas de vez en cuando por los políticos que no saben qué decir y secundadas con morbo por los medios de comunicación. Los maestros deben siempre recordar, aunque lo olviden los demás, que las escuelas sirven para formar gente sensata, no santos. No vaya a ser que por querer hacer a los jóvenes demasiado buenos no les enseñemos a serlo lo suficiente...

CAPÍTULO 4

La disciplina de la libertad

En una entrevista cuenta George Steiner una anécdota de su niñez, cuando asistía en Francia con cinco o seis años al jardín de infancia. Los pequeños llevaban batas azules y tenían que ponerse en pie cuando entraba el maestro. El primer día del curso se cumplió el ritual y el profesor con aire severo paseó su mirada sobre los críos antes de decir en tono desafiante: «Caballeros, o ustedes o yo.» Todos los que hemos dado clase alguna vez, sobre todo a un público muy joven, entendemos bastante bien el sentido de este dilema aparentemente truculento. Y es que la enseñanza siempre implica una cierta forma de coacción, de pugna entre voluntades. Ningún niño quiere aprender o por lo menos ningún niño quiere aprender aquello que le cuesta trabajo asimilar y que le quita el tiempo precioso que desea dedicar a sus juegos. Aún recuerdo la desolación de uno de mis sobrinos (*circa* ocho años) cuando su madre le decía cualquiera de esas tardes mágicas de la infancia que era ya hora de ponerse a hacer los deberes; lanzaba una mirada de frustración a sus recortables, al fuerte donde los vaqueros repelían el asalto de los indios, a sus videojuegos, y suspiraba:

«¿A estudiar, ahora? ¡Con todo lo que tengo que hacer!» Yo, que nunca fui buen estudiante, simpatizaba fervorosamente con su desaliento pero no tenía más remedio que ponerme del lado de la aparente tiranía adulta. ¿Aparente... o real? ¿Es acaso cierto que obligamos a los niños a estudiar *por su propio bien*, según la detestable expresión que los años nos hacen llegar a aborrecer porque suele servir también para legitimar las peores injerencias públicas en nuestra vida? ¿Tenemos derecho a imponerles la disciplina sin la cual desde luego no aprenderían la mayoría de las cosas que consideramos imprescindible que lleguen a saber?

En cierto sentido, la tiranía es real. Hablamos de «tiranía» cuando quien tiene el poder fuerza a otros para que hagan o dejen de hacer algo en contra de su voluntad. Y no cabe duda de que esto es lo que sucede en los primeros años de cualquier tipo de enseñanza. Pero los tiranos, protestarán muchos, no imponen su dictadura por el bien de sus víctimas sino por el suyo propio. Bueno, sin llegar quizá a los extremos de Calígula, es evidente que nosotros tampoco educamos a los niños sólo por su propio bien sino también y quizá ante todo por razones egoístas. Hubert Hannoun (en *Comprendre l'éducation*) aventura que educamos «para no morir, para preservar una cierta forma de perennidad, para perpetuarnos a través del educando como el artista intenta perdurar por medio de su obra». Ante la fugacidad desesperante de la vida y la muerte que todo parece borrarlo, no hay sed más imperiosa que la de tratar de perpetuar nuestra experiencia, nuestra memoria colectiva, nuestros hábitos y nuestras destrezas, transmitiéndolos a quienes provienen de nuestra carne y crecen en nuestra comunidad. *Non omnis moriar*, escribió Horacio confiando en la posteridad de su obra, y nosotros tampoco queremos morir del todo, delegando la conservación de lo que somos y anhelamos a la generación venidera. La educación constituye así algo parecido a una obra de arte colectiva que da forma a seres humanos en lugar de escribir en papel o esculpir en mármol. Y como en cualquier obra de arte, hay mucho más de autoafirmación narcisista que de altruismo...

También en otro sentido la educación responde antes a los intereses de los educadores que a los de los educandos. Para que la sociedad continúe funcionando —y éste es, en cualquier grupo humano, el interés primordial— es preciso que aseguremos el reemplazo en todas aquellas tareas sin las cuales no podríamos subsistir. Hace falta pues preparar a los neófitos, cuyas fuerzas intactas son necesarias para que la gran maquinaria no se extinga, a fin de que sepan ayudarnos y sostengan todo aquello de lo que la fatalidad biológica nos va haciendo a los mayores poco a poco dimitir. Y desde luego no les pedimos previamente su aquiescencia antes de imponerles los preparativos casi siempre poco gratos de esta colaboración. De modo que en cualquier caso los niños son reclutas forzosos, sea porque los utilicemos como una de las prótesis sociales para asegurarnos cierta inmortalidad o sea porque recabemos su esfuerzo adiestrándoles en el cumplimiento de empresas que les preexisten y les necesitan. ¿Podría acaso ser de otro modo? Las sociedades, según vimos al comienzo de estas páginas, son *humanógenas*. Su principal producción es la manufactura de seres humanos y para conseguirlos no contamos con otro modelo (ni otro instrumento) que los seres humanos ya existentes. No preguntamos a nuestros hijos si quieren nacer ni tampoco si quieren parecérsenos en conocimientos, técnicas y mitos. Les imponemos la humanidad tal como nosotros la concebimos y padecemos, igual que les imponemos la vida. Oscuramente, presentimos que les condenamos a mucho pero también que les damos la posibilidad de inaugurar algo.

Las rebeliones contra esta inevitable tiranía suenan siempre a exabrupto retórico, aun en los casos en que se expresan con la fuerza de la poesía o la profundidad de la metafísica. «¡Nadie me pidió permiso para traerme a este mundo!»: en efecto, ese trámite es tan difícil que suele ser obviado, pero la queja expresa más bien el descubrimiento de lo que somos, no la nostalgia de no haber sido. Y ya que estamos aquí, en el ser, lo único que los demás pueden compartir con los recién llegados es lo que son, las formas que el ser tiene para ellos. Si la educación implica cierta tiranía, es una tiranía de la que sólo pasando por la educación podremos en alguna medida más tarde librarnos. Todos los buenos maestros conocen su condición potencial de suicidas: imprescindibles al comienzo, su objetivo es formar individuos capaces de prescindir de su auxilio, de caminar por sí mismos, de olvidar o desmentir a quienes les enseñaron. La educación es siempre un intento de rescatar al semejante de la fatalidad zoológica o de la limitación agobiante de la mera experiencia personal. Proporciona a la fuerza algunas herramientas simbólicas que luego permitirán combinaciones inéditas y derivaciones aún inexploradas. Es poco, es algo, es todo, es el embarque irremediable en la condición humana.

En otras épocas y otras culturas la imposición de este condicionamiento social ha aparecido menos cuestionable. Pero el afianzamiento moderno del ideal de *libertad* personal plantea una paradoja mucho más difícil de resolver. Desde luego, el objetivo explícito de la enseñanza en la modernidad es conseguir individuos auténticamente libres. Pero ¿cómo admitir sin recelo o sin escándalo que la vía para llegar a ser libre y autónomo pase por una serie de coacciones instructivas, por una habituación a diversas maneras de obediencia? La respuesta estriba en comprender que la libertad de la que estamos hablando no es un *a priori* ontológico de la condición humana sino un logro de nuestra integración social. A ello apuntaba Hegel, cuando estableció que «ser libre no es nada, devenir libre lo es todo». No partimos de la libertad, sino que llegamos a ella. Ser libre es *liberarse*: de la ignorancia prístina, del exclusivo determinismo genético moldeado según nuestro entorno natural y/o social, de apetitos e impulsos instintivos que la convivencia enseña a controlar. Ninguno de los seres vivos es «libre» si por tal entendemos capaz de inventarse del todo a sí mismo a despecho de su herencia biológica y sus circunstancias ambientales: lo único a que puede aspirar es a una mejor o peor *adaptación* a lo forzoso. Sólo los humanos podemos (relativamente, desde luego) adaptar el entorno a nuestras necesidades en lugar de resignarnos sencillamente a él, compensar con apoyo social nuestras deficiencias zoológicas y romper las fatalidades hereditarias a favor de elecciones propias, dentro de lo posible pero a menudo contra lo rutinariamente probable. La libertad no es la ausencia original de condicionamientos (cuanto más pequeños somos, más esclavizados estamos por aquello sin lo que no podríamos sobrevivir) sino la conquista de una autonomía simbólica por medio del aprendizaje que nos aclimata a innovaciones y elecciones sólo posibles dentro de la comunidad. Ni siquiera Rousseau creo que pensase de otro modo, pues su «libertad» natural no es más que adaptación a determinaciones espontáneas ignoradas como tales y su protesta contra las «cadenas» sociales que se nos imponen se acompaña de una larga meditación pedagógica para asumirlas y transformarlas de modo emancipador.

El neófito comienza a estudiar en cierta medida *a la fuerza*. ¿Por qué? Porque se le pide un esfuerzo y los niños no se esfuerzan voluntariamente más que en lo que les divierte. La recompensa que corona el aprendizaje es diferida y además el niño sólo la conoce de oídas, sin comprender muy bien de qué se trata. Los estudios son algo que interesa a los mayores, no a él. No es que los pequeños no deseen saber, pero su curiosidad es mucho más inmediata y menos metódica que lo exigido para aprender, ni siquiera elementalmente, aritmética, geografía o historia. Se puede y se debe contar en la enseñanza con la inicial curiosidad infantil: sin embargo, es un afán que la propia educación tiene que encargarse de desarrollar. La completa ignorancia no suele ser ni siquiera inquisitiva, mientras que saber un poco abre el apetito de saber más. El niño no sabe que ignora, es decir, no echa en falta los conocimientos que no tiene. Como señalamos en el capítulo primero, es el educador quien ha de dar importancia a la ignorancia del alumno porque valora positivamente los conocimientos que a éste le faltan. Es el maestro, que ya sabe, quien cree firmemente que lo que enseña merece el esfuerzo que cuesta aprenderlo. No puede exigirse al niño que anhele conocer aquello que ni siquiera vislumbra, salvo por un acto de confianza en sus mayores y de obediencia ante su autoridad. Aún menos apreciará espontáneamente que se le impongan hábitos sociales como la limpieza, la puntualidad, el respeto a los débiles y otros que no concuerdan con sus apetencias. Kant indica que uno de los primeros y nada desdeñables logros de la escuela es enseñar a los niños a permanecer sentados, cosa que en efecto casi nunca hacen mucho tiempo por decisión propia, salvo cuando se les narra un bonito cuento (claro está que en tiempos de Kant aún no había televisión...). En una palabra, no se puede educar al niño sin *contrariarle* en mayor o menor medida. Para poder ilustrar su espíritu hay que formar antes su voluntad y eso siempre duele bastante.

A fin de reconciliar la parte de coacción que implica toda enseñanza con el postulado de la libertad personal moderna algunos pedagogos insisten en que el objetivo de la enseñanza es desbrozar por imposición la libertad latente del neófito para que florezca plenamente. El propio Kant piensa de este modo y ya hemos comentado más arriba una significativa frase de Hegel al respecto. Este planteamiento es muy razonable, pero a veces minimiza de modo indebido la dimensión coactiva del proceso educativo y da por supuesto en el educando un núcleo original a desarrollar, cuya existencia es bastante dudosa. Por ejemplo Olivier Reboul, en su *Filosofía de la educación*, sostiene que «educar no es fabricar adultos según un modelo sino liberar en cada hombre lo que le impide ser él mismo,

permitirle realizarse según su "genio" singular».
Esta declaración, con la que resulta casi inevitable
simpatizar, debe ser matizada. Para que el neófito
llegue a ser él mismo, la educación debe fabricar-
le como adulto de acuerdo con un modelo previo,
por mucho que tal modelo sea abierto, tentativo,
capaz de innovar sobre lo recibido, etc. El maestro no estudia en el niño el modelo de madurez de
éste, sino que es el niño quien ha de estudiar
orientado por un ejemplo de excelencia que el
maestro conoce y le transmite. Naturalmente que
el educador ha de comprender lo mejor posible las
características y aptitudes peculiares del neófito
para enseñarle del modo más provechoso, pero
ello no implica que lo que el niño ya es deba ser-
virle de pauta para lo que se pretende que llegue a
ser. La autonomía, las virtudes sociales, la disciplina intelectual, todo aquello que constituirá ese
«él mismo» del hombre maduro aún no se encuentran en el estudiante sino que deben serle
propuestos —y en cierto modo impuestos— como
modelos exteriores. A partir del desarrollo de su
mera intimidad nunca llegarán a ser realmente *suyos*. Si no es el educador el que le ofrece el modelo racionalmente adecuado, el niño no crecerá sin
modelos sino que se identificará con los que le
propone la televisión, la malicia popular o la brutalidad callejera, por lo común exaltados desde el
lujo depredador o la mera fuerza bruta.

Y es que en el niño no hay una «esencia» aca-
bada e intrasferible a potenciar sino más bien unas
virtualidades que deben ser encauzadas (y en parte descartadas) para aproximarle a la plenitud personal que se considera educativamente deseable.
Desde luego ese ideal no es único, varía a través de

las épocas y de una cultura a otra; en cierto modo, dentro de cada sociedad también se educa según modelos distintos de la plenitud humana a alcanzar, lo que en demasiadas ocasiones sirve para perpetuar la desigualdad de oportunidades entre los individuos. Por lo demás, es evidente que a los pequeños les interesan mucho más las cosas y las demás personas que los abismos de su propia subjetividad. Escuchemos expresarse a un niño: salvo casos rarísimos, lo que le intriga o le fascina es el mundo (y desde luego su compleja relación con él), no su persona interior. Sólo cuando se martiriza a un niño se le ve replegarse sobre sí mismo, lo mismo que años después el inevitable martirio de la vida nos hace a todos un poco introspectivos. Lo que el neófito quiere en primer lugar es que se le haga entrega del universo con todas sus tareas y aventuras, que se le brinden los mínimos detalles de lo que ya existe sin pedirle permiso ni obedecer a su capricho, que se le *enriquezca* dándole la llave de lo que le rodea y no que se bucee en él para pescar perlas que de todos modos a su debido tiempo ya saldrán a la luz.

Una cierta mitología pedagógica ha creado la fábula del «niño creador» al que las constricciones de la pedagogía mutilan y encadenan. Según este planteamiento falsamente rousseauniano —que no es el de Rousseau—, al niño hay que dejarle que desarrolle su genialidad innata sin otra medida educativa que seguirle discretamente la corriente... más o menos lo mismo que si estuviese loco. Lo contrario —dicen— supone sacrificar su creatividad a las rutinas opresivas y mediocres de la sociedad en que vivimos. Claude Lévi-Strauss ha escrito páginas tan sensatas como provocativas (en cuestiones pedagógicas he llegado a la conclusión de que nada suele ser tan provocativo como la sensatez) sobre la mitología del niño creador, algunas de las cuales encontrará el lector en la antología que sirve de apéndice a este libro. Según el gran antropólogo, todos los niños, en efecto, son creadores pero en cuanto a sus posibilidades, no en la capacidad efectiva de realizarlas. Entre la multitud de dones psicofísicos que forman nuestro equipaje genético, la maduración exige potenciar algunos con el adiestramiento adecuado y eliminar o atrofiar otros, no dejarlos desarrollarse todos por igual, los unos por encima de los demás como si fuesen a jerarquizarse equilibradamente *motu proprio*. Pero ¿no conlleva esta selección pedagógica una limitación mutiladora? Lévi-Strauss lo asume sin rodeos: «Las funciones mentales resultan de una selección, la cual suprime toda suerte de capacidades latentes. Mientras subsisten éstas nos maravillan con toda razón, pero sería ingenuo no inclinarse ante la necesidad ineluctable de que todo aprendizaje, incluido el que se recibe en la escuela, se traduce en un empobrecimiento. Empobrece, en efecto, pero para consolidar otros de los dones lábiles del niño muy pequeño.» Sin duda la mejor educación será la que logre potenciar el mayor número de virtualidades que puedan coexistir armónicamente, pero aun este ideal supone cierta poda de algunas disposiciones innatas: incluso el camino más respetuoso del entorno ecológico se abre paso a fuerza de tajos, desmoches y a menudo asfalto sobre el cual ya no volverán a crecer flores. La creatividad infantil se revela ante todo en su capacidad para asimilar la educación y ésa si que es innata; no olvidemos que el mejor maestro sólo puede enseñar, pero es el niño quien realiza siempre el acto genial de aprender. Con frecuencia ese talento humanizador, gradual y evolutivo, está reñido con frutos artificiosamente maduros de precocidad de los que tanto agradan a quienes desean exhibir las destrezas de los niños como si fueran fenómenos de circo. Por eso, cuando hace unas décadas surgió en Francia una niña llamada Minou Drouet, celebrada como prodigio porque escribía poemas, Jean Cocteau comentó: «Todos los niños son poetas... menos Minou Drouet.»

Según cuentan, Dios fue capaz de crear el mundo de la nada, pero el resultado de tanta improvisación no recomienda precisamente el procedimiento. Será entonces mejor que los niños, por muy creadores que los consideremos, reciban la preparación adecuada antes de comenzar a ejercer como tales. Y si algo de «creatividad» se pierde en el proceso, seguro que se obtendrán como compensación resultados socialmente más aceptables y una configuración personal menos caprichosa y por tanto más estimulante. ¿Es preciso recordar que no es posible ningún proceso educativo sin algo de *disciplina*? En este punto coinciden la experiencia de los primitivos o los antiguos, la de los modernos y la de los contemporáneos, por mucho que puedan diferir en otros aspectos. La propia etimología latina de la palabra (que proviene de *discipulina*, compuesto a su vez de *discis*, enseñar, y la voz que nombra a los niños, *pueripuella*) vincula directamente a la disciplina con la enseñanza: se trata de la exigencia que obliga al neófito a mantenerse atento al saber que se le propone y a cumplir los ejercicios que requiere el aprendizaje. El término ha servido para denominar también a las diversas destrezas y conocimientos que se aprenden por este procedimiento: las matemáticas o la geografía son disciplinas cuyo aprendizaje exige a su vez disciplina.

Por extensión lógica se ha hablado también de disciplina militar o de disciplina religiosa, incluso de seguir disciplinadamente la dieta impuesta por un médico, usos de la palabra que la vinculan más bien con el poder que con la mera enseñanza. Ha sido sin duda Michel Foucault el pensador contemporáneo que más decididamente ha puesto de relieve la íntima conexión que une el poder —es decir, la capacidad de unas personas de determinar lo que han de hacer o creer otras— con toda forma de saber. El sujeto histórico jamás llega al conocimiento al margen de los poderes sociales vigentes sino siempre en el marco resultante de su interacción, nunca simple ni mucho menos neutral. En la modernidad, esa orientación coactiva del aprendizaje ya no se realiza a fuerza de castigos físicos sino por medio de una vigilancia que controla psicológicamente y «normaliza» a los individuos a fin de hacerlos socialmente productivos. El poder siempre impone disciplina, pero según Foucault, a partir del siglo XVII se ha ido haciendo cada vez más íntima e irreversiblemente disciplinario. Los ejercicios que así se programan para el cuerpo y para el alma responden a unos específicos *intereses* que en cada época están determinados por los grupos dominantes y por la evolución defensiva de la forma misma de su dominio.

Los detallados análisis de Foucault, prolongados por sus seguidores con perspicacia en ocasiones no inferior a la del maestro, han supuesto una importante contribución al estudio del desarrollo de la escuela, la han relacionado con otros campos de control social como el reformatorio, la cárcel, el manicomio o el hospital y han desmitificado la idealización atemporal y ahistórica del proceso educativo. Pero también se resienten a veces de una consideración a la par excesivamente global y ambigua del poder: por una parte, el poder disciplinario es el responsable final de cualquier procedimiento moderno de educación, tanto de los más coactivos como de los más liberales, tanto de los que todo lo rigen desde la omnipresencia vigilante del maestro como de los que interiorizan el control en forma de espontaneidad creativa del discípulo; por otra, no sabemos si ante esa omnímoda difusión de lo disciplinar debemos mantener una actitud crítica, apologética, cómplice, rebelde o neutral. Establecido que los procedimientos psicologizantes de la pedagogía actual son una técnica del poder disciplinario como antes lo fueron los palmetazos o la tarea de copiar mil veces la palabra mal escrita, aceptado que la formación flexible y polivalente hoy propuesta como ideal sirve a los intereses del capitalismo vigente como ayer otro modelo de poder económico prefirió la especialización y en otras latitudes se impuso la sumisión al evangelio marxista... ¿qué debemos colegir de todo ello? ¿Que para el caso es igual Torquemada que Voltaire, que dada la vinculación entre poder y educación toda enseñanza es inevitablemente tan mala como lo más manipulador de su época, que obligar al niño a permanecer sentado equivale a una forma sutil de mutilación de su cuerpo y enseñarle a jugar al fútbol a otra no menos artera, que habría de proponerse otro modelo de aprendizaje antidisciplinario, o ningún aprendizaje, o una disciplina indisciplinada o... o qué? Para quien ya tiene esbozadas respuestas a estas preguntas desde otros planteamientos sociológicos o políticos los análisis foucaultianos —que ni las plantean ni mucho menos las resuelven— suelen resultar sumamente útiles; para los demás, en cambio, los excursos educativos de la microfísica del poder es frecuente que les lleven a sostener dañinas macrodemagogias.

En su *República* dice Platón: «No habrá pues, querido amigo, que emplear la fuerza para la educación de los niños; muy al contrario, deberá enseñárseles jugando, para llegar también a conocer mejor las inclinaciones naturales de cada uno» (536e-537a). Este dictamen ilustre fue reiterado a lo largo de los siglos en numerosas ocasiones y ha sido entronizado con especial ahínco en nuestra época. El lema «instruir deleitando» se complementa con el aún más ambicioso de «aprender jugando». Montaigne, tan frecuentemente moderno en sus puntos de vista, se decanta fervientemente por no aceptar otro estímulo para la enseñanza que el placer del neófito y descarta cualquier imposición o contrariedad. Más tarde Basedow, Celestin Freinet y Maria Montessori incorporaron esta perspectiva lúdica a sus métodos pedagógicos. Oponerse a este punto de vista parece señal de un talante torvo y dictatorial: si el juego es aquella actividad supremamente libre que niega toda instrumentalidad y que el niño busca por sí misma sin que nadie deba imponérsela como obligación, ¿qué mejor camino que éste para educarle, a partir no ya de su obediencia sino de su jubilosa colaboración? Sin embargo, en este punto también habrá que atreverse a caer un poco antipáticos si no se quiere perder contacto con la verdad.

El juego es una actividad fundamental de niños y adultos, de todos los humanos: su carácter libre y a la vez pautado, simbólico, donde se conjuga la innovación permanente con la tradición, le convierte en una especie de emblema total de nuestra vida. Así lo han visto destacados estudiosos como Huizinga en su *Homo ludens*, donde se repasan todas las ocupaciones y preocupaciones humanas en tanto que manifestaciones lúdicas, o la antropología del juego llevada a cabo por Roger Caillois. Por otra parte, es indudable que aprovechando la inclinación al juego de los niños se les puede enseñar muchas cosas. Como dice el refrán castellano, «más se consigue con una gota de miel que con una tonelada de hiel». La poca geografía que he llegado a memorizar la aprendí en un juego de mesa —antes los juegos eran de mesa, no de ordenador, ¿recuerdan?— llamado «Turistas y piratas», en el cual había que transportar diversos fletes a los más diversos puertos mientras se esquivaban los abordajes (a este juego yo le ponía «música» literaria de Salgari y así se reforzaba su efecto docente...). Seguro que los maestros inventivos saben jugar provechosamente con sus alumnos, incluso estimulando a veces en exceso la tendencia competitiva juvenil, como patentaron los jesuitas en sus célebres «torneos» que dividían la clase en dos equipos rivales. Emplear el acicate lúdico para iniciar los aprendizajes es a menudo obligado en el caso de los párvulos, indicado para familiarizarse con el uso de ordenadores y supongo que rentable en otras muchas ocasiones... aunque demasiada rentabilidad desvirtúe un tanto la gratuidad del juego.

Sin embargo, la mayoría de las cosas que la escuela debe enseñar no pueden aprenderse jugando.

Según el hermoso dicho de Novalis, «jugar es experimentar con el azar»; la educación en cambio se orienta hacia un fin previsto y deliberado, por abierto que sea. La misma idea de ir a la escuela a jugar es disparatada: para jugar los niños se bastan y se sobran por sí solos, de modo que si se trata de eso lo más aconsejable es dejarles en paz y que ellos busquen sus propios campos de recreo. Precisamente lo primero que aprendemos en la escuela es que no se puede estar toda la vida jugando. A jugar y a las cosas que vienen jugando aprendemos solos o con ayuda de cualquier amiguete: a la escuela vamos para aprender aquello que no enseñan en los demás sitios. Se ha mencionado en el capítulo anterior pero conviene repetirlo, porque es una de esas obviedades que sorprende como una paradoja: el propósito de la enseñanza escolar es preparar a los niños para la vida adulta, no confirmarles en los regocijos infantiles. Y los adultos no sólo juegan, sino que sobre todo se esfuerzan y trabajan. Estas tareas cuestan al principio pero no siempre son desagradables. Es más, pasados los años de la primera infancia, son imprescindibles incluso para realzar de tanto en tanto los momentos de juego. La escuela es el lugar para aprender que no sólo jugando se demuestra el amor a la vida, sino también cumpliendo actividades socialmente necesarias y sobre todo desarrollando una vocación, por aparentemente humilde que sea. Natalia Ginzburg, en su precioso ensayo *Las pequeñas virtudes*, sostiene que cada vocación es una forma de amar la vida y un arma para luchar contra el miserable miedo a vivir.

La gran verdad de que un empeño laborioso y disciplinado puede ser no sólo gratificante en sí mismo sino requisito inexcusable para comprender *desde dentro* la tarea cultural que nos humaniza debe ser hoy reafirmada con más fuerza que nunca. ¿Por qué? Por las circunstancias de la cultura del consumo en la que vivimos. Lo explica muy bien François de Closets en *Le bonheur d'apprendre*: «¿Deseáis descubrir el mundo? La industria del turismo se hace cargo de vosotros y os permite verificar que se parece a las fotografías de los folletos publicitarios. ¿Acaso es la belleza lo que os tienta? Utilizad cremas y píldoras, recurrid a los masajes, a la cirugía estética, id a la cura de talasoterapia, envolvedlo todo en una indumentaria atrayente, tal es el precio de la belleza. Elevado, eso ni que decir tiene. Si os gustan las bellas historias, no os toméis la molestia de leer: mirad la televisión, id al cine; si la gastronomía os tienta, no aprendáis cocina: pagaros buenos reataurantes; si queréis emociones fuertes, daros una vuelta por EuroDisney; si os fascinan las cuestiones metafísicas, acudid a consultar a un mago y si, pese a todas estas diversiones, os hundís en la depresión, tomaros un Prozac o un Lexomil. Pero sobre todo no emprendáis nada por vosotros mismos, no vayáis a esforzaros, a desgastaros, a fatigaros, a someteros a una disciplina que os obligue. Pagad, eso es lo único que tenéis que hacer.» Y en la misma línea de pensamiento, también Lévi-Strauss prolonga la requisitoria: «Nuestros hijos nacen y crecen en un mundo hecho por nosotros que se adelanta a sus necesidades, que previene sus preguntas y les anega en soluciones. A este respecto, yo no veo diferencia entre los productos industriales que nos inundan y los "museos imaginarios" que, bajo forma de libros de bolsillo, de álbumes de reproducciones y de exposiciones temporales de chorro continuo enervan y embotan el gusto, minimizan el esfuerzo, enturbian el saber: vanas tentativas para calmar el apetito bulímico de un público sobre el que se vierten en montón todas las producciones espirituales de la humanidad. Que en este mundo de facilidad y de derroche la escuela sea el único lugar en el que haga falta tomarse molestias, soportar una disciplina, sufrir vejaciones, progresar paso a paso, pasarlas moradas, eso los niños no lo admiten porque no pueden ya comprenderlo.» Dejemos de lado los acentos algo apocalípticos y elitistas de estas voces de alarma y recordemos sobre todo que se refieren a nuestros países desarrollados, porque la mayoría de los niños (o de los adultos) del tercer mundo no tienen la oportunidad de caer en tales tentaciones. Por lo demás, el mensaje que transmiten es fundamentalmente justo y necesario: la cultura no es algo para consumir, sino para *asumir*. Y no se puede asumir la cultura, ni entender su evolución y su sentido, ni precavernos de quienes quieren convertirla en pura mercancía, si se la desliga totalmente del trabajo creador que la produce y de la disciplina que resulta indispensable para acometerlo.

La palabra «autoridad» proviene etimológicamente del verbo latino *augeo*, que significa, entre otras cosas, hacer crecer. La paradoja de toda formación es que el yo responsable se fragua a partir de elecciones inducidas, por las que el sujeto aún no se responsabiliza. El aprendizaje del autocontrol se inicia con las órdenes e indicaciones de la madre, que el niño interioriza más tarde en una estructura psíquica dual que le hace a la vez emisor y receptor de órdenes: es decir, que aprende a mandarse a sí mismo obedeciendo a otros. Los niños crecen en todas las latitudes como la hiedra contra la pared, ayudándose de adultos que les ofrecen juntamente apoyo y resistencia. Si carecen de esta tutela no siempre complaciente pueden deformarse hasta lo monstruoso. Y la autoridad debe ejercerse sobre ellos de modo continuo, primero en la familia y luego en la escuela: si a un período de abandono caprichoso le sigue una brusca irrupción autoritaria el resultado es fácil que desemboque en desastre. La autoridad de los mayores se *propone* a los menores como una colaboración necesaria para ellos, desde luego, pero en ciertas ocasiones también ha de *imponerse*. Y es disparatado aplicar a rajatabla desde el parvulario el principio democrático de que todo debe decidirse entre iguales, porque los niños no son «iguales» a sus maestros en lo que a los contenidos educativos compete. Precisamente para que lleguen más tarde a ser iguales en conocimientos y autonomía es para lo que se les educa. Se les puede y se les debe entrenar, naturalmente, en el ejercicio igualitario de la deliberación democrática; es aconsejable que su criterio así establecido prevalezca en ciertos asuntos escolares no esenciales; pero es un *fraude* convertirles en una minoría oprimida por el autoritarismo docente de los adultos, porque en ese momento de su vida no lo son, pero la mejor forma de que lo sean más tarde es «liberarles» a destiempo en lugar de colaborar en su formación. Lo ha dicho muy bien Hannah Arendt en su polémico y sugestivo ensayo sobre la crisis contemporánea de la educación: «Los niños no pueden rechazar la autoridad de los educadores como si se encontrasen oprimidos por una mayoría compuesta de adultos, aunque los métodos modernos de educación han intentado efectivamente poner en práctica el absurdo que consiste en tratar a los niños como una minoría oprimida que tiene necesidad de liberarse. La autoridad ha sido abolida por los adultos y ello sólo puede significar una cosa: que los adultos se rehúsan a asumir la responsabilidad del mundo en el que han puesto a los niños.» Es decir, no son los niños los que se rebelan contra la autoridad educativa sino los mayores los que les inducen a rebelarse, precediéndoles en esa rebelión que les descarga de la tarea de ofrecerles el apoyo resistente, cordial pero firme, paciente y complejo, que ha de ayudarles a crecer rectamente hacia la libertad adulta.

A lo largo del capítulo anterior ya vimos el problema que supone la dimisión familiar, paterna sobre todo, en este gradual encauzamiento del crecimiento infantil. No todo puede solventarse en la escuela ni compensarse con el buen oficio de los maestros: en estas cuestiones la escuela no puede actuar al margen del entorno social y familiar del niño ni mucho menos a la contra, como un correctivo externo que reduplique sus presiones formativas en vista de que los demás implicados desisten de ejercerlas. Estos remedios suelen ser ineficaces, además de propensos a excesos traumáticos: cuando escribo estas líneas, la ministra británica de educación propone seriamente reimplantar el castigo corporal en las escuelas (¡abolido solamente hace diez años!), mientras en colegios de grandes urbes norteamericanas es obligatorio pasar por un detector de metales a la entrada para impedir que se introduzcan armas en las aulas. En ciudades como Nueva York, encontrar voluntarios cualificados para el arriesgado puesto de maestro es dificilísimo y hay que contentarse con el primer gladiador que se atreve a presentarse como candidato; las clases se han reducido a duraciones inverosímiles —menos de media hora en algunos casos— para que el permanente trasiego impida un cansancio que puede traducirse en agresividad. Malcriados en la cultura del *zapping*, que fomenta el picoteo histérico entre programas, discos, etc., y les hace incapaces de ver o escuchar nada de principio a fin, es difícil que aguanten una clase completa de algo que no les apasione sin tregua y, aún peor, les obligue a esforzarse un tanto. De modo que es el pobre profesor quien carga con la peor parte, a menudo con riesgo de su integridad física. Por supuesto, en gran parte estas situaciones semibélicas provienen de conflictos sociales de los que la escuela no es responsable y que por tanto ella sola no puede resolver, pero en cualquier caso es evidente que algo no marcha bien. La infancia y la adolescencia están cada vez con mayor frecuencia inmersas en la práctica de la violencia: en ciertos lugares padeciéndola, en otros ejerciéndola y en no pocos lo uno y lo otro, sucesivamente. Dentro de este panorama, la función humanizadora de la educación se convierte a veces en un sueño impotente...

Por otra parte, la solución no consiste en añorar la escuela-cuartel o el reformatorio universal, donde los jóvenes sean «normalizados» por métodos tan contundentes como la disciplina militar o el control carcelario. La escuela debe formar ciudadanos libres, no regimientos de ordenancismo fanático que probablemente acabarán reciclando la represión que han sufrido en violencia contra chivos expiatorios que sus jefes les designen. El maestro debe impedir en sus alumnos la rebeldía arrogante (propia del mimado que exige en todas partes los caprichos que se le consienten en su casa) o la brutalidad, según la cual el más fuerte puede tiranizar a su antojo a los compañeros e incluso a los profesores tímidos (cuando los adultos responsables no ejercen su autoridad lo que reina no es la anarquía fraternal sino el despotismo de los cabecillas). Pero en cambio quienes enseñan es preciso que sepan apreciar las virtudes de una cierta *insolencia* en los neófitos. La insolencia no es arrogancia ni brutalidad, sino la afirmación entre tanteos de la autonomía individual y el espíritu crítico que no todo lo toma como verdad revelada. Según establece Michel Meyer —autor de un estudio precisamente titulado *La insolencia*, que dedica especial atención al papel social de los intelectuales en la historia—, «la insolencia no es más que la capacidad de interrogación del hombre en ejercicio de su libertad, una capacidad enfocada hacia los demás, hacia lo social, hacia lo preexistente, con lo que hay que saber vivir y a lo que forzosamente no hay que adherirse». La capacidad de vivir en el conflicto de forma civilizada pero no dócil es una señal de salud mental y social, no de agresividad destructiva. Para un maestro sensato la ocasional insolencia de sus alumnos es un síntoma positivo, aunque pueda resultar por momentos incómodo. Digo un maestro «sensato» y aclaro que entiendo la sensatez como la forma adecuada de reconciliar magisterio y autoridad. Esta reconciliación incluye lo más difícil: practicar una enseñanza que se haga respetar pero que incluya como una de sus lecciones necesarias el aprendizaje de la irreverencia y de la disidencia razonada (o burlona) como vía de madurez intelectual.

El profesor no sólo, ni quizá principalmente, enseña con sus meros conocimientos científicos, sino con el arte persuasivo de su ascendiente sobre quienes le atienden: debe ser capaz de seducir sin hipnotizar. ¡Cuántas veces la vocación del alumno se despierta más por adhesión a un maestro preferido que a la materia misma que éste imparte! Quizá la excesiva personalidad del maestro pueda dificultar o aun pervertir su función de mediador social ante los jóvenes, pero tengo por indudable que sin una cierta personalidad el maestro deja de serlo y se convierte en desganado gramófono o en policía ocasional. Es el momento de recordar que la pedagogía tiene mucho más de arte que de ciencia, es decir que admite consejos y técnicas pero que nunca se domina más que por el ejercicio mismo de cada día, que tanto debe en los casos más afortunados a la intuición. Tendremos ocasión de ampliar estas observaciones en el capítulo siguiente.

CAPÍTULO 5

¿Hacia una humanidad
sin humanidades?

Cada época tiene sus terrores. Suelen ser los fantasmas que se merece, pero frecuentemente no representan con clarividencia los peligros que realmente la amenazan. Un historiador francés actual se entretuvo no hace mucho en establecer el censo de los principales terrores que agobiaban a los parisinos a finales del pasado siglo: entre ellos figuraban la invasión inminente de los cosacos, la perversa doctrina del neokantismo o la moda de incinerar los cadáveres («¡hasta dónde vamos a llegar!»), pero ni una palabra en cambio sobre el nacionalismo o el desarrollo científico de nuevas armas de exterminio masivo, espantos que habían de ensombrecer de veras el siglo entrante. Ahora que estamos cerca de concluir un milenio se reiteran una serie de alarmas proféticas que inquietan mucho, al menos retóricamente, aunque tampoco es seguro que muestren de verdad el rostro de los problemas venideros. En el terreno de la educación, uno de esos fantasmas es la hipotética desaparición en los planes de estudio de las humanidades, sustituidas por especialidades técnicas que mutilarán a las generaciones futuras de la visión histórica, literaria y filosófica imprescindible para el cabal desarrollo de la plena humanidad... tal como hoy la entendemos en estas latitudes. La cuestión merece ser considerada con cierto detenimiento porque es un punto en el que la reflexión sobre la enseñanza que queremos o rechazamos nos obliga a meditar también sobre la calidad de la cultura misma en la que hoy nos movemos.

En cierto sentido, el temor parece bien justificado. Los planes de enseñanza general tienden a reforzar los conocimientos científicos o técnicos a los que se supone una utilidad práctica inmediata, es decir una directa aplicación laboral. La innovación permanente, lo recién descubierto o lo que da paso a la tecnología del futuro gozan del mayor prestigio, mientras que la rememoración del pasado o las grandes teorías especulativas suenan un tanto a pérdida de tiempo. Hay cierto escepticismo sobre cuanto se presenta como aspirando a una concepción global del mundo: esas pretensiones totalizadoras ya han derivado demasiadas veces hacia lo totalitario y en cualquier caso siempre están sujetas a controversias inacabables que el afán políticamente correcto del día prefiere dejar abiertas para que cada cual elija a su gusto. En sociedades multiétnicas —y que cada vez deben llegar a serlo más— resultan peligrosas o al menos delicadas las excursiones hacia los orígenes; en cuanto a los fines, sean políticos o estéticos, tampoco parecen fáciles de pergeñar. Es más seguro quedarse en la zona templada de la instrucción sobre los medios y en el sólido territorio del pragmatismo calculador, en el que la gran mayoría suele coincidir. Además, en algunos países como España, donde un clero proclive al dogmatismo ha monopolizado hasta hace poco la oferta pedagógica, la plétora de letrados versados en logomaquias contrasta tristemente con la escasez de investigadores científicos capaces: resulta lógico que las autoridades educativas que se tienen por progresistas decidan que ha llegado el momento de invertir esta proporción... Recientemente, los especialistas del III Estudio Internacional sobre las Matemáticas y las Ciencias, reunidos en Boston para hacer públicas las conclusiones de un muestreo sobre medio millón de estudiantes de cuarenta y cinco países (hecho en 1992), revela que en España el nivel de preparación en esas materias no llega al nivel medio. También esta deficiencia debería alarmar al público culto y no sólo la disminución de horas lectivas en materias consideradas «de letras».

Pero ¿qué son las humanidades? Supongo que nadie sostiene en serio que estudiar matemáticas o física son tareas menos humanistas, no digamos menos «humanas», que dedicarse al griego o a la filosofía. Nicolás de Cusa, Descartes, Voltaire o Goethe se hubieran quedado pasmados al oír hoy semejante dislate en boca de algún pedantuelo letraherido de los que repiten vaciedades sobre la técnica «deshumanizadora» o al leerlo en algún periódico poco exigente con sus colaboraciones. La separación entre cultura científica y cultura literaria es un fenómeno que no se inicia hasta finales del siglo pasado para luego consolidarse en el nuestro, por razones de abarcabilidad de saberes cada vez más técnicos y complejos que desafían las capacidades de cualquier individuo imponiendo la especialización, la cual no es sino una forma de renuncia. Después se hace de necesidad virtud y los letrados claman contra la cuadrícula inhumana de la ciencia, mientras los científicos se burlan de la ineficacia palabrera de sus adversarios. Lo cierto es que esta hemiplejia cultural es una novedad contemporánea, no una constante necesaria, y que encontraría pocos padrinos —si acaso alguno— entre las figuras más ilustres de nuestra tradición intelectual.

Según se dice, las facultades que el humanismo pretende desarrollar son la capacidad crítica de análisis, la curiosidad que no respeta dogmas ni ocultamientos, el sentido de razonamiento lógico, la sensibilidad para apreciar las más altas realizaciones del espíritu humano, la visión de conjunto ante el panorama del saber, etc. Francamente, no conozco ningún argumento serio para probar que el estudio del latín y el griego favorecen más estas deseables cualidades que el de las matemáticas o la química. Pongo esos ejemplos a fin de hablar con total imparcialidad, porque siempre fui incompetente por igual en el estudio de esas cuatro disciplinas. Sin dudar del interés intrínseco de ninguno de tales saberes ¿cómo establecer que es más enriquecedora humanamente la filología de las palabras que la ciencia experimental de las cosas? Considero muy valioso estar advertido de que las enfermedades «venéreas», por ejemplo, nada tienen que ver etimológicamente con las venas, así como conocer la leyenda mitológica de la amable diosa a la que deben su nombre, pero tampoco me parece desdeñable informarme del desorden fisiológico que suponen tales dolencias, así como de la composición activa de las sustancias capaces de remediarlas. Dudo que el interés estrictamente cultural (la fuerza espiritualmente emancipadora) del primer aprendizaje sea superior al del segundo y desde luego me indignaría ver menospreciar éste por su condición más «práctica» o «técnica». En cuanto a la filosofía, cuyo contenido me resulta más familiar, desconfío también de que tenga *per se* especiales virtudes para configurar personalidades críticas o insumisas ante los poderes de este mundo. Cuando escucho a estudiantes o profesores de mi gremio denunciar como atentados gubernamentales contra el pensamiento libre cualquier reducción del horario de las disciplinas filosóficas en el bachillerato, no puedo por menos de sentir cierta incomodidad incluso mientras me sumo por otras razones a su protesta. Y es que algunas de las personas más conformistas, supersticiosas y rastreras que conozco son catedráticos de filosofía: si yo debiese juzgarla por tales representantes, no me quedaría otro remedio que solicitar la abolición de su estudio en el bachillerato y hasta en la universidad.

La cuestión de las humanidades no estriba primordialmente, a mi juicio, en el título de las materias que van a ser enseñadas, ni en su carácter científico o literario: todas son útiles, muchas resultan oportunas y las hay imprescindibles... sobre todo a juicio de los profesores cuyo futuro laboral depende de ellas. Cada año se incorporan nuevas disciplinas a la oferta académica, que crece y se diversifica hasta lo agobiante, al menos en los planes ministeriales: hay que incluir la música, pintura y escultura, el cine, el teatro, la informática, la seguridad vial, nociones de primeros auxilios, rudimentos de economía política, expresión corporal, danza, redacción y desentrañamiento de periódicos, etc. ¡Ser hombre o mujer en el mundo moderno no es cosa fácil: nadie puede ir ligero de equipaje! Resulta factible argumentar a favor de todos estos aprendizajes y de otros muchos, que pueden completar excelentemente la formación de los alumnos. Tanta oferta educativa tropieza sólo con dos obstáculos pero, eso sí, fundamentales: por un lado los límites de la capacidad asimiladora de los alumnos y el número de horas lectivas que pueden padecer al día sin sufrir trastornos mentales serios; por otro, la disponibilidad docente de los profesores, la mayoría de ellos titulados en una época en la que ni siquiera existían las materias de las que han de convertirse años después en maestros. Así que en la práctica la oferta de asignaturas se reduce bastante, porque ni hay tiempo para darlas todas ni personal que pueda hacerse cargo de su enseñanza con verdadera competencia (lo cual suele resolverlo el profesor hablando de lo que sabe como toda la vida, sea cual fuere el nuevo rótulo de su disciplina).

Y sin embargo, insisto, el verdadero problema de fondo no es cómo se repartirán las horas lectivas, ni cuántas deben corresponder a las ciencias, a las letras, a la gimnasia o a los recreos. François de Closets, en su obra citada, lo ha señalado con tino: «Poco importa en último extremo lo que se enseñe, con tal de que se despierten la curiosidad y el gusto de aprender. ¿Cómo hacer entrar a los *lobbies* de las asignaturas en tal lógica? ¿Cómo hacerles comprender que el objetivo a que se apunta es general y no especializado, que lo importante no es lo que se aprende sino la forma de aprenderlo, pues de nada sirve probar que, en abstracto, tal o cual ciencia es formadora si además no se prueba que la forma de enseñarla asegura bien ese desarrollo intelectual, lo cual depende tanto de la manera como de la materia? Y sin embargo, las disciplinas empiezan por razonarse en términos de horas, de coeficientes y de puestos.» Aquí está el secreto: la virtud humanista y formadora de las asignaturas que se enseñan no estriba en su contenido intrínseco, fuera del tiempo y del espacio, sino en la concreta manera de impartirlas, aquí y ahora. No es cuestión del *qué*, sino del *cómo*. Si el latín o el griego se convierten en jeroglíficos atrabiliarios para atrapar a perezosos, si enseñan esas lenguas sabios truculentos que parecen convencidos de que Eurípides escribió sólo para proponer ejemplos de aoristo, si los atisbos de la poesía y el drama del esplendor clásico son reprimidos como ociosas desviaciones a la severa dedicación gramatical, tales estudios no son más humanistas y desde luego pueden resultar menos útiles que la reparación de automóviles. Goethe, nada sospechoso de antihumanismo, confiesa que la forma memorística de enseñarle griego convirtió ese aprendizaje en el más estéril y aborrecido de su formación. Lo mismo ocurre también con las matemáticas —quizá la disciplina básica que más «experimentos» pedagógicos desastrosos ha soportado en los últimos lustros—, las cuales resultan a menudo de una aridez repelente para muchos en manos de maestros lúgubres mientras que estimulan la imaginación y el humor en las de Lewis Carroll o Martin Gardner. ¿Y qué decir de la filosofía, cuyos manuales de bachillerato ofrecen ristras de nombres agrupados en equipos opuestos (estoicos contra epicúreos, idealistas contra materialistas, etc.) que parecen a menudo la guía telefónica de los grandes filósofos, salvo que no figura ningún número al que llamarles para rescatar a los jóvenes del hastío y la confusión? Por no mencionar la delectación académica en una jerga lo más oscura y artificiosa posible, quizá apta para iniciados pero no desde luego para los que intentan iniciarse. He llegado a conocer un libro introductorio tan simpático que ya en el segundo tema llenaba las páginas de fórmulas algebraicas, triunfalmente impuestas por lo visto para desanimar a los remisos. ¡Nada de concesiones demagógicas a la curiosidad adolescente, la mayoría de cuyas preguntas son espontáneamente metafísicas! Más vale que huyan si no están dispuestos a someterse al ascetismo de lo enigmático o lo arduo... Repasando esos bodrios inaguantables le viene a uno a la memoria la resplandeciente lección de Montaigne, expuesta precisamente en el ensayo dedicado a la instrucción de los niños: «Es un gran error pintar la filosofía como algo inaccesible a los niños, dotada de un rostro ceñudo, puntilloso y terrible. ¿Quién me la enmascara con ese falso rostro, pálido y repulsivo? No hay nada más alegre, más marchoso, más regocijante y hasta me atrevo a decir que más travieso. No predica más que fiesta y buenos ratos. Un semblante triste y crispado demuestra que ahí no tiene cabida.» Quienes hemos intentado romper la triste máscara y seducir en vez de intimidar sufrimos el desahucio de los colegas, aunque la amplia aceptación popular de humildes esfuerzos divulgadores como *El mundo de Sofía*, de Jostein Gaarder, o mi *Ética para Amador* prueban al menos que hay formas de abordar inicialmente los temas filosóficos que despiertan complicidad y no fastidio en los neófitos, único medio de estimularles para que luego prosigan por sí mismos el estudio comenzado. Los sesudos dómines consideran trivial cuanto se dice con sencillez. Aclaremos una vez más, en beneficio de catedráticos germanizantes y críticos literarios deconstruccionistas, la diferencia entre lo uno y lo otro: trivialidad es lo que se le queda en la cabeza a un imbécil cuando oye algo dicho con sencillez.

¿Por qué las materias docentes, sean cuales fueren, son demasiado a menudo enseñadas de una manera —por decirlo suavemente— ineficaz, que agobia sin ilustrar y que expulsa del conocimiento en lugar de atraer hacia él? Dejemos a un lado la incompetencia eventual de algún profesor o la no menos episódica dureza de mollera de algún alumno; apartemos o pongamos entre paréntesis las malas influencias sociales de las que tanto se reniega, como son la seducción hipnótica de la televisión que aleja de los libros, la prisa por obtener resultados rentables a corto plazo que impide el necesario sosiego escolar, los grandes exámenes de estado tipo selectividad cuyo carácter crucial fagocita fatalmente todo aprendizaje como el *mäelstrom* de Poe devoraba a los barcos, etc. Sin descartar el apoyo de las demás, yo creo que la principal causa de la ineficacia docente es la *pedantería* pedagógica. No se trata de un trastorno psicológico de unos cuantos, sino de la enfermedad laboral de la mayoría. Después de todo, la palabra «pedante» es voz italiana que quiere decir «maestro», sin ninguna connotación peyorativa en principio, tal como la define Covarrubias en su *Tesoro de la lengua* o la utiliza Montaigne en el ensayo *Du pédantisme*. De modo que la pedantería, ¡ay!, es un vicio que nace de la vocación de enseñar, que la acompaña como una tentación o un eco maligno y que en casos graves puede llegar a esterilizarla por completo.

Intentaré esbozar los rasgos de la pedantería, quizá incurriendo ocasionalmente en ella (todos los profesores somos pedantes al menos a ratos, como todo vigilante nocturno está sujeto a padecer insomnio o todo aduanero puede confundir a veces el celo profesional con la vana suspicacia). La pedantería exalta el conocimiento propio por encima de la necesidad docente de comunicarlo, prefiere los ademanes intimidatorios de la sabiduría a la humildad paciente y gradual que la transmite, se centra puntillosamente en las formalidades académicas —que en el mejor de los casos sólo son rutinas útiles para quien ya sabe— mientras menosprecia la estimulación cordial de los tanteos a veces desordenados del neófito. Es pedantería el confundir, deslumbrar o inspirar reverente obsecuencia con la tarea de ilustrar, de informar o incluso de animar al aprendizaje. El pedante no abre los ojos a casi nadie, pero se los salta a unos cuantos. Todo ello, por qué no, con buena intención y siempre con autocomplaciente suficiencia.

François de Closets apunta una de las posibles genealogías de la pedantería y señala también el más frecuente de los errores que provoca en cuanto a método pedagógico. Un origen común del pedantismo es que gran parte de los profesores fueron alumnos *demasiado* buenos de la asignatura que ahora tienen que enseñar. Por eso no comprenden que haya estudiantes que no compartan espontáneamente la afición que a ellos les parece una obligación intelectual evidente por sí misma: consideran que todo el mundo debería prestar a su disciplina la misma primacía que ellos le otorgan y los remisos les resultan algo así como adversarios personales. El profesor que quiere enseñar una

asignatura tiene que empezar por suscitar el deseo
de aprenderla: como los pedantes dan tal deseo por
obligatorio, sólo logran enseñar algo a quienes
efectivamente sienten de antemano ese interés,
nunca tan común como suelen creer. Para despertar la curiosidad de los alumnos hay que estimu-
larla con algún cebo bien jugoso, quizá anecdótico
o aparentemente trivial; hay que ser capaz de ponerse en el lugar de los que están apasionados por
cualquier cosa *menos* por la materia cuyo estudio
va a iniciarse. Y esto nos lleva a la equivocación
metodológica de la pedantería: empezar a explicar
la ciencia por sus fundamentos teóricos en lugar de
esbozar primero las inquietudes y tanteos que han
llevado a establecerlos. Cada ciencia tiene su propia lógica epistemológica que favorece el avance de
la investigación en ese campo, pero esa lógica casi
nunca coincide y en muchos casos difiere radicalmente de la lógica pedagógica que debe seguirse
para iniciar a los neófitos en su aprendizaje. No se
puede empezar por el estado actual de la cuestión,
tal como parece establecido hoy por los sabios especialistas, sin indicar los sucesos y necesidades
prácticas que llevaron poco a poco a los planteamientos teóricos actuales. A veces es pedagógicamente más aceptable enseñar una materia desde
teorías que ya no están totalmente vigentes para las
autoridades de vanguardia pero que son más comprensibles o más estimulantes para quienes co-
mienzan. Lo primordial es abrir el apetito cognos-
citivo del alumno, no agobiarlo ni impresionarlo.
Si su vocación le llama por ahí, ya tendrá tiempo
de profundizar ese aprendizaje, enterarse de los
descubrimientos más recientes y hasta descubrir
por sí mismo. Adoptar desde el comienzo los aires

enfurruñados del tecnicismo (quizá vitales para el especialista, pero que tienen muy poco que ver con la vitalidad de quien no lo es) no sólo no le convencerán de la importancia del estudio que se le propone sino que le disuadirán de él, persuadiéndole en cambio de que es algo ajeno a sus intereses o placeres.

El pedante se dirige a sus alumnos como si estuviese presentando una comunicación ante un congreso de sus más distinguidos y exigentes colegas, todos los cuales llevan años dedicados a la disciplina de sus desvelos. Pero como la mayoría de los jóvenes no demuestran el debido entusiasmo ni la comprensión requerida, se desespera y los maldice. He conocido profesores de bachillerato indignados por lo ignorantes que son sus alumnos, como si la obligación de sacarles de esa ignorancia no fuese suya. En el fondo, el problema del pedante es que no quiere enseñar a neófitos sino ser admirado por los sabios y probarse a sí mismo que vale tanto como el que más. La humildad del maestro, en cambio, consiste en renunciar a demostrar que uno ya está arriba y en esforzarse por ayudar a subir a otros. Su deber es estimular a que los demás hagan hallazgos, no pavonearse de los que él ha realizado. Pero ¿puede hacer descubrimientos un párvulo? Naturalmente que sí: cuanto menos se sabe, más se puede descubrir si a uno alguien le enseña con arte y paciencia. No serán probablemente descubrimientos desde la perspectiva de la ciencia misma, sino desde el punto de vista de quien se está iniciando en ella. Pero son esos hallazgos personales de cosas que «ya todo el mundo sabe», como comentan sarcásticamente los malos enseñantes, los que aficionan a los adolescentes a buscar, a inquirir y a seguir estudiando. El profesor de bachillerato no puede nunca olvidar que su obligación es mostrar en cada asignatura un panorama general y un método de trabajo a personas que en su mayoría no volverán a interesarse profesionalmente por esos temas. No sólo ha de limitarse a informar de los hechos y las teorías esenciales, sino que también tiene que intentar apuntar los caminos metodológicos por los que se llegó a ellos y pueden ser prolongados fructuosamente. Informar de lo ya conseguido, enseñar cómo puede conseguirse más: ambas tareas son imprescindibles, porque no puede haber «creadores» sin noticias de lo fundamental que les precede —todo conocimiento es transmisión de una tradición intelectual— ni sirve de nada memorizar fórmulas o nombres a quien carece de guía para la indagación personal. Como justificado rechazo de una enseñanza decrépita constituida por letanías memorísticas, la pedagogía contemporánea tiende en exceso a minimizar la importancia del adiestramiento de la memoria, cuando no a satanizarla a modo de residuo obsoleto de épocas educativamente oscuras. Sin embargo no hay inteligencia sin memoria, ni se puede desarrollar la primera sin entrenar y alimentar también la segunda. El ejercicio de recordar ayuda a entender mejor, aunque no pueda sustituir a la comprensión cuando ésta se ausenta del todo. Como bien señala Juan Delval: «La memoria es un sistema muy activo de reelaboración de la experiencia pasada, siempre que lo recordado tenga algún significado. Recuerdo y comprensión son indisociables.»

Pero sobre todo el profesor tiene que fomentar las pasiones intelectuales, porque son lo contrario de la apatía esterilizadora que se refugia en la rutina y que es lo más opuesto que existe a la cultura. Y esas pasiones brotan de abajo, no caen desde el olimpo de los que ya creen saberlo todo. Por eso no hay que desdeñar el lenguaje llano, ni las referencias a lo popular, ni el humor sin el cual la inteligencia no es más que un estofado de imbecilidades elevadas. En el campo de las letras esto es particularmente importante (o quizá me lo parece a mí porque no estoy familiarizado de igual modo con los estudios científicos). No se puede pasar de la nada a lo sublime sin paradas intermedias; no debe exigirse que quien nunca ha leído empiece por Shakespeare, que Habermas sirva de introducción a la filosofía y que los que nunca han pisado un museo se entusiasmen de entrada por Mondrian o Francis Bacon. Antes de aprender a disfrutar con los mejores logros intelectuales hay que aprender a disfrutar intelectualmente. Se lo contó muy bien George Steiner a R. A. Sharp en una entrevista publicada por la *Paris Review*: «¡Dios santo, el empeño en tener razón! ¡El empeño que ponen nuestros académicos en moverse con la máxima seguridad! Llevo cuarenta años preguntando a mis alumnos qué leen, qué autores vivos les gustan hasta el punto de leer incluso sus obras menores. Si no coleccionan las obras de ningún autor, sé que en mi profesión no llegarán a ninguna parte. Y si alguien me dice que colecciona obras de Zane Grey, si lo vive apasionadamente, si lo colecciona y lo estudia, me digo ¡estupendo! He aquí un alma que seguro que se salvará.» Si esto es válido para los estudiantes universitarios a los que enseña Steiner, imagínense para los de bachillerato.

No, nada tiene que ver la crisis de las humanidades con que se profesen tantas horas de latín o de filosofía en el bachillerato, ni tampoco con que se estudien más ciencias que letras o viceversa (lo que en cierto sentido puede ser aún peor). La unilateralidad intelectual nunca es beneficiosa ni desde luego *humanista*: es lamentablemente pintoresco que Charles Darwin considerase un aburrimiento soporífero las obras de Shakespeare, pero los poetas que no saben sumar dos y dos y creen que la teoría de la relatividad de Einstein asegura que todo es relativo tampoco son modelos a seguir. Ni nos sirven esos apresurados dañinos siempre dispuestos a inferir —si son de letras— la libertad humana del principio de incertidumbre de Heisenberg o —si son de ciencias— a proclamar que por más que escudriñan el cielo con sus telescopios no logran ver a Dios. Más próximos a nuestro ideal podrían estar aquellos *virtuosi* de finales del siglo XVI y comienzos del XVII, científicos/filósofos de los que habla Jose Manuel Sánchez Ron en su *Diccionario de la ciencia*; uno de sus más distinguidos exponentes, Robert Boyle (cuyo apellido, unido al de Mariotte, memorizamos todos en el colegio al aprender una ley física), enumera estas cuatro ventajas de su culta cofradía: «1) Que el *virtuoso* no es arrastrado por opiniones y estimaciones vulgares; 2) que pueden valorar placeres y ocupaciones de naturaleza espiritual; 3) que siempre puede encontrar ocupaciones agradables y útiles, y de esta manera escapar a los peligros a los que expone la ociosidad; 4) que sabe lo que es la dignidad y reconoce a un loco.» No es mal programa, aunque podríamos citar otros muchos alternativos pergeñados por tantos humanistas que a lo largo de los siglos no opusieron excluyentemente las ciencias a las letras ni las artes a la industria, sencillamente porque tal dicotomía es lo menos humanista que quepa imaginar. Sólo los semicultos, que tanto abundan en nuestras latitudes, ponen los ojos en blanco cuando oyen hablar de «filosofía» o «literatura» y bufan cuando se les mencionan las matemáticas o la física.

Un poco por debajo de quienes hoy se empeñan en mantener en el terreno educativo estas hemiplejias anticuadas (por lo común movidos por intereses más personalmente alimenticios que genéricamente culturales) están los predicadores que consideran inevitable nuestra deshumanización (?) por culpa de los ordenadores, los vídeos, Internet y otros inventos del Maléfico. Para empezar, dado lo canalla que suele ser cuanto se disculpa diciendo que es un comportamiento «muy humano», tentado está uno de pensar que deshumanizarnos un poco podría sernos favorable en lo que a decencia toca. Pero lo cierto es que ninguno de tales instrumentos tiene por qué perturbar en modo alguno nuestra humanidad, ni siquiera nuestro humanismo. Son herramientas, no demonios; surgen del afán de mejorar nuestro conocimiento de lo remoto y de lo múltiple, no del propósito de vigilar, torturar o exterminar al prójimo: si finalmente se los emplea para tales fechorías, es culpa de cualquiera menos de las máquinas. En el siglo XIX, serios doctores diagnosticaron que ver pasar vacas y árboles desde un ferrocarril a la demencial velocidad de veinte kilómetros a la hora no podía por menos de causar irreversibles trastornos psíquicos a los viajeros. Otros habían hecho antes profecías no menos lúgubres respecto a la imprenta, por no mencionar los recelos escalofriantes que rodearon la popularización del teléfono. Es regla general que tales herramientas no sólo no deshumanicen a nadie sino que sean enseguida puestas al servicio de lo más humano, demasiado humano: en Internet, por ejemplo, el entusiasmo ya patente por la pornografía y el cotilleo puede tranquilizar a los más suspicaces a tal respecto. En su día, el invento que Gutenberg quería poner al servicio de la Biblia y otras obras piadosas sirvió enseguida para convertir en *best-seller* el *Gargantúa* de Rabelais. Etc. Por supuesto, tan erróneo es el dictamen apocalíptico que certifica la abolición del espíritu por culpa de los ordenadores como la beatitud trivial de quienes creen que la inteligencia de esos aparatos logrará darles la agilidad mental de la que carecen.

Pero entonces ¿no hay motivos para preocuparse de la decadencia de las humanidades y sobre todo del oscurecimiento del ideal de educación humanista, entendida como una formación integral de la persona y no sólo como su preparación restringida por urgencias laborales? Los hay, sin duda, aunque poco tengan que ver con querellas de asignaturas ni aún menos con el temor supersticioso ante los más sofisticados instrumentos técnicos. Incluso pueden ser de más grave alcance, pero su índole me parece diferente. Uno de ellos ya ha sido señalado hace poco, cuando dije que la *forma* de enseñar las cosas importa muchas veces más que su propio contenido, porque la pedantería puede boicotear a la pedagogía. Pero antes de seguir más adelante, quizá convenga preguntarse de dónde viene ese calificativo de «humanidades» que reciben ciertas materias todavía hoy. La denominación es de origen renacentista y no contrapo-

ne ciertos estudios muy «humanos» con otros «in-
humanos» o «deshumanizados» por su sesgo téc-
nico-científico (los cuales no existían en la época)
sino que los llama así para distinguirlos de los estudios teológicos o los comentarios de las escrituras. Los humanistas estudiaban humanidades, es
decir: se centraban sobre textos cuyo origen era
declaradamente humano (incluso aún más: paga-
no) y no supuestamente divino. Y como tales
obras estaban escritas en griego o latín clásico,
esas lenguas quedaron como paradigma de humanidades, no sólo por su elegancia literaria o por
sus virtudes filológicas para analizar los idiomas
de ellas derivados, sino también por los contenidos de ciencia y conocimiento no revelados por la
fe a los que podía llegarse utilizándolas. En tal
sentido, los *Elementos de geometría* de Euclides
formaban parte de las humanidades ni más ni menos que el *Banquete* de Platón. Desde luego para
Erasmo, por ejemplo (y en menor grado para Juan
Luis Vives), lo que cuenta por encima de todo es
llegar a poseer una capacidad de expresión oral y
escrita fluida, cultivada, rica tanto en ideas como
en palabras: *orationis facultatem parare*. Pero Rabelais, en cambio, prima ante todo la abundancia
de conocimientos mientras que Montaigne —con
su mezcla habitual de escepticismo y sentido práctico— observa que «el griego y el latín son sin
duda una buena adquisición, pero que se compra
demasiado cara» y llega a confesar que «querría
antes saber bien mi lengua y la de mis vecinos con
quienes tengo habitualmente más trato». El modelo de formación propugnado por Erasmo sólo
conviene a una elite enriquecida que quiere también refinar sus modales y suavizar sus costum-

bres, pero difícilmente podría extenderse al grueso de la población. Como amonesta Durkheim, que en su *Historia de la educación* le trata con poco cariño, «la mayoría necesita ante todo vivir, y lo que se necesita para vivir no es saber hablar con arte, es saber pensar correctamente, de forma que se sepa actuar. Para luchar eficazmente contra las cosas y contra los hombres se necesitan armas sólidas y no esos brillantes ornamentos con los que los pedagogos humanistas tan ocupados están adornando la mente».

Desde luego, los estudios humanísticos han ido pasando a partir de ese origen por muchas transformaciones académicas y sociales, hasta llegar a la polémica situación actual ya comentada. Pero me parece importante recordar que nacieron de una disposición laica y profana (en el sentido de este término que se opone a «sagrado»), recobrando y apreciando el magisterio intelectual de nuestros semejantes más ilustres en lugar de esperarlo sólo de la divinidad por medio de sus portavoces oficialmente autorizados. Es cierto que también aquellos ancestros griegos y romanos creían en dioses, pero en dioses que no pretendían saber escribir: sólo escribían los hombres, por lo que sus textos —hasta los más teológicos— fueron siempre decididamente humanos. Y por tanto criticables, refutables y ante todo inspiradores de reflexiones tan decididamente humanas como la suya propia. El analfabetismo de los dioses grecolatinos resultó un magnífico caldo de cultivo para las letras humanistas, que rompieron así el agobio esterilizador de tantas escrituras con dogmático *copyright* celestial. Pero si los antiguos dioses no escribían ni habían promulgado ortodoxia alguna que debiese ser respetada, ¿de dónde sacaban aquellos filósofos y sabios de tiempos pretéritos su autoridad intelectual? Pues sin duda del *respeto racional* que inspiraban a quienes les dedicaban sus horas de estudio. Este respeto racional, que es respeto a la razón al margen de la fe y a veces subrepticiamente contra ella, configura el verdadero punto de partida de las humanidades y del humanismo.

¿Estoy remontándome aquí a una batalla librada y ganada por el racionalismo hace tanto tiempo que ya no tiene sentido volver sobre ella en nuestros días? No estoy tan seguro, porque hoy abundan no sólo la superstición y la milagrería (no siempre de cuño religioso, desde luego) sino también el menosprecio de la razón, convertida en una simple perspectiva entre otras sin derecho a especial reconocimiento educativo y sospechosa de dogmatismo cuando lo reclama. Aquí sí se da una quiebra de las humanidades, porque no hay humanidades sin respeto racional, sin *preferencia* por lo racional, sin fundamentación racional a través de la controversia de lo que debe ser respetado y preferido. Es frecuente oír reprochar a este racionalismo una fe ciega en la omnipotencia de la razón, como si semejante credulidad fuese compatible con el uso crítico de esa capacidad o pudiera desmentirse sin recurrir a él. La razón sólo resulta beatificada por los que la utilizan poco, no por los que la emplean con asiduidad exigente. No menos común es la recusación de lo racional en nombre de la condena del etnocentrismo, tachándolo derogatoriamente de «razón occidental», como si los conocimientos empíricos y las reflexiones teóricas —no las supersticiones, que también abundan en occidente— que se dan en otras latitudes no respondiesen a parámetros racionales. Todos los grupos humanos son fundamentalmente racionales: como señaló Gombrich, hay pueblos que no conocen la perspectiva pictórica pero en ninguna parte quien quiere esconderse de su enemigo se sitúa delante del árbol y no detrás... Lejos de ser irracionales, los no occidentales saben muy bien utilizar la argumentación racional para denunciar las pretensiones imperialistas o depredadoras de los países llamados occidentales; cuando sólo pueden invocar a su favor el racionalismo etnocéntrico de sus adversarios es porque intentan sostener privilegios o tiranías para los que racionalmente comprenden que no puede haber respeto racional. Hay una modalidad de *racismo intelectual* que cree elogiar lo que discrimina: es la de quienes pretenden que africanos, orientales, amerindios, etc., no practican la razón como los llamados occidentales dado que son más «naturales», tienen una «lógica» diferente, escuchan más a su «corazón» y otras mamarrachadas semejantes, por lo que no deben ser sometidos a la educación moderna: es un truco consistente en declarar subyugador lo subyugado para seguir subyugándolo, semejante al de quienes afirmaban ayer que las mujeres no deben estudiar carreras universitarias porque pierden su *encanto* natural...

Muchos de los antihumanistas que acusan a la educación moderna de ser «demasiado» racionalista quieren dar a entender que menosprecia la intuición, la imaginación o los sentimientos. Pero ¿acaso es exceso o más bien falta de racionalismo comprender tan mal la complejidad humana?, ¿no es más bien la razón la que concibe la importancia de lo intuitivo, la que aprovecha la fertilidad de la imaginación y la que cultiva —potenciándola social y personalmente unas veces, manipulándola artísticamente otras— la vitalidad sentimental? La razón conoce y reconoce sus límites, no su omnipotencia; distingue lo que podemos conocer justificadamente de lo que imaginamos o soñamos; es lo que tenemos en común y por lo tanto lo que podemos transmitirnos unos a otros; no pide limpieza de sangre, ni adecuación de sexo, ni nobleza social, sino la atención paciente de cualquier individuo. Para la razón todos somos semejantes porque ella misma es la gran *semejanza* entre los humanos. La educación humanista consiste ante todo en fomentar e ilustrar el uso de la razón, esa capacidad que observa, abstrae, deduce, argumenta y concluye lógicamente. Passmore, apoyándose en Bruner, enumera los efectos principales que una enseñanza de este tipo debe lograr en los alumnos: «hacerlos que terminen por respetar los poderes de su propia mente y que confíen en ellos; que se amplíe ese respeto y esa confianza a su capacidad de pensar acerca de la condición humana, de la situación conflictiva del hombre y de la vida social; proporcionar un conjunto de modelos funcionales que faciliten el análisis del mundo social en el cual vivimos y las condiciones en la cuales se encuentra el ser humano; crear un sentido del respeto por las capacidades y la humanidad del hombre como especie; dejar en el estudiante la idea de que la evolución humana es un proceso que no ha terminado».

Quizá estas declaraciones suenen manidas y obsoletas, aburridamente obvias. ¿Lo ven? Después de todo, sí que hay crisis de las humanidades. La relativización digamos posmoderna del concepto de *verdad* es un claro signo de ella. No hay educación si no hay verdad que transmitir, si todo es más o menos verdad, si cada cual tiene su verdad igualmente respetable y no se puede decidir racionalmente entre tanta diversidad. No puede enseñarse nada si ni siquiera el maestro cree en la verdad de lo que enseña y en que verdaderamente importa saberlo. El pensamiento moderno, con Nietzsche a la cabeza, ha subrayado con razón la parte de construcción social que hay en las verdades que asumimos y su vinculación con la perspectiva dictada por los diversos intereses sociales en conflicto. La metodología científica e incluso la simple cordura indican que las verdades no son absolutas sino que se nos parecen mucho: son frágiles, revisables, sujetas a controversia y a fin de cuentas perecederas. Pero no por ello dejan de ser verdades, es decir más sólidas, justificadas y útiles que otras creencias que se les oponen. Son también más dignas de estudio, aunque el maestro que las explica no debe ocultar la posibilidad de duda crítica que las acompaña (cualquier maestro recuerda las verdades que él aprendió como tales y que ya no lo serán para sus alumnos). Y es que la verdad vuela entre las dudas como la paloma de Kant en el aire que le ofrece resistencia pero que a la vez la sostiene. Hablando de volar, Richard Dawkins ofrece el ejemplo de la aviación como prueba intuitiva de que no todas las verdades las aceptamos como simples convenciones culturales del momento: si no concediésemos a sus principios más veracidad que la que solemos atribuir a los discursos de los políticos o a las prédicas de los curas, ninguno nos subiríamos jamás a un avión.

La búsqueda racional de la verdad, mejor dicho, de las verdades siempre fragmentarias y tentativas, provistas de un distinto rango de certeza según el campo a que se aplican, tropieza en la práctica pedagógica con dos obstáculos no pequeños e interrelacionados: la sacralización de las *opiniones* y la incapacidad de *abstracción*. En vez de ser consideradas propuestas imprecisas, limitadas por la insuficiencia de conocimientos o el apresuramiento, las opiniones se convierten en expresión irrebatible de la personalidad del sujeto: «ésta es *mi* opinión», «eso será *su* opinión», como si lo relevante de ellas fuese a quién pertenecen en lugar de en qué se fundan. La antigua y poco elegante frase que suelen decir los tipos duros de algunas películas yankis —«las opiniones son como los culos: cada cual tiene la suya»— cobra vigencia, porque ni de las opiniones ni de los traseros cabe por lo visto discusión alguna ni nadie puede desprenderse ni de unas ni de otro aunque lo quisiera. A ello se une la obligación beatífica de «respetar» las opiniones ajenas, que si de verdad se pusiera en práctica paralizaría cualquier desarrollo intelectual o social de la humanidad. Por no hablar del «derecho a tener su opinión propia», que no es el de pensar por sí mismo y someter a confrontación razonada lo pensado sino el de mantener la propia creencia sin que nadie interfiera con molestas objeciones. Este subjetivismo irracional cala muy pronto en niños y adolescentes, que se acostumbran a suponer que todas las opiniones —es decir, la del maestro que sabe de lo que está hablando y la suya que parte de la ignorancia— valen igual y que es señal de personalidad autónoma no dar el brazo a torcer y ejemplo de tiranía tratar de convencer al otro de su error con argumentos e información adecuada.

La tendencia a convertir las opiniones en parte simbólica de nuestro organismo y a considerar cuanto las desmiente como una agresión física («¡ha herido mis convicciones!») no sólo es una dificultad para la educación humanista sino también para la convivencia democrática. Vivir en una sociedad plural impone asumir que lo absolutamente respetable son las personas, no sus opiniones, y que el derecho a la propia opinión consiste en que ésta sea escuchada y discutida, no en que se la vea pasar sin tocarla como si de una vaca sagrada se tratase. Lo que el maestro debe fomentar en sus alumnos no es la disposición a establecer irrevocablemente lo que han elegido pensar (la «voz de su espontaneidad», su «autoexpresión», etc.), sino la capacidad de participar fructíferamente en una controversia razonada, aunque ello «hiera» algunos de sus dogmas personales o familiares. Y aquí se echa en falta alarmantemente el hábito de abstracción en los neófitos, cuya ausencia también más tarde en estudiantes universitarios lamentamos con amargura los profesores de materias esencialmente teóricas. Consiste en una dificultad casi terminal para deducir de premisas, para despegarse de lo inmediato o de lo anecdótico, para no buscar tras cada argumento la mala voluntad o el interés mezquino del argumentador sino la debilidad de lo argumentado. Algunos autores, como Giovanni Sartori, culpan de esta deficiencia al predominio de lo audiovisual —que proporciona impresiones— sobre la letra y la palabra, que acostumbran a las razones.

Aprender a discutir, a refutar y a justificar lo que se piensa es parte irrenunciable de cualquier educación que aspire al título de «humanista».

Para ello no basta saber expresarse con claridad y precisión (aunque sea primordial, tanto por escrito como oralmente) y someterse a las mismas exigencias de inteligibilidad que se piden a los otros, sino que también hay que desarrollar la facultad de *escuchar* lo que se propone en el palenque discursivo. No se trata de patentar una comunidad de autistas celosamente clausurados en sus «respetables» opiniones propias, sino de propiciar la disposición a participar lealmente en coloquios razonables y a buscar en común una verdad que no tenga dueño y que procure no hacer esclavos. Desde luego tal disposición debe encontrar su primer ejemplo en la propia actitud del maestro, firme en lo que sabe pero dispuesto a debatirlo e incluso modificarlo en el transcurso de cada clase con ayuda de sus pupilos. Debe ser una de sus principales tareas fomentar el espíritu crítico sin hacer concesiones al simple afán de llevar la contraria (por otra parte tan propio y estimulantemente lúdico en la edad adolescente). También es sano que el profesor no se adelante a los adolescentes en celo subversivo, enseñándoles la refutación de cosas que aún no ha mostrado bajo su aspecto positivo: v. gr., aproximarse al arte moderno empezando por la rapiña de los marchantes y el esnobismo de los coleccionistas o exponer las doctrinas filosóficas a partir de sus errores. Hay profesores tan inconformistas que no se conforman con ser sólo profesores y quieren también ocupar el papel de jóvenes rebeldes, en lugar de dejarles por lo menos esa iniciativa a sus alumnos.

Y en especial se ha de potenciar en quienes aprenden la capacidad de *preguntar* y preguntarse, esa inquietud sin la cual nunca se sabe realmente nada aunque se repita todo. Una de las constataciones más alarmantes de la enseñanza actual es que los maestros de párvulos se ven agobiados por lo mucho que preguntan los niños, mientras que los de universidad nos quejamos porque jamás preguntan nada. ¿Qué ha ocurrido en esos años que separan la escuela de las facultades para que se les pasen las gozosas ganas de inquirir? Y no hay que temer que ese espíritu crítico lleve al puro nihilismo indisciplinado, porque si es auténtico más bien previene contra él. Escuchemos una vez más la sensatez de John Passmore: «Aceptemos que la persona que es un crítico especialmente dotado suele ser destructora. Pero, al menos esperémoslo así, destructora de la verborrea, de lo pretencioso, de la hipocresía, del conservadurismo complaciente y del radicalismo fantasioso. A un niño le rodearán durante toda su vida personas que intentarán defraudarle, imponérsele; lo rodearán charlatanes, embaucadores de toda laya, profetas autoengañados, hipócritas, timadores. Si, como resultado de esa educación en ser crítico, puede ayudar a destruirlos antes de que destruyan a la sociedad humana, tanto mejor.»

Hay todavía otro aspecto de la educación humanista que conviene señalar: la dimensión *narrativa* que engloba y totaliza los conocimientos por ella transmitidos. Los humanos no somos problemas o ecuaciones, sino historias; nos parecemos menos a las cuentas que a los cuentos. Es imprescindible por tanto que la enseñanza sepa narrar cada una de las asignaturas vinculándola a su pasado, a los cambios sociales que han acompañado su desarrollo, etc. Las verdaderas humanidades son las materias de estudio que conservan vivo el latido biográfico de quienes las exploraron, así como su deuda con nuestras necesidades vitales y nuestros sueños. La memoria de los hombres pretéritos y la urgencia de la vida en el presente es lo que unifica significativamente la dispersión de temas académicos que conforman el *currículum*. Que es precisamente eso, la carrera de la vida, el desafío que los humanos antes y ahora le lanzamos a lo irremediable. Por eso es importante que no se pierda ni minimice la consideración histórica en nuestros aprendizajes básicos, aunque comprender la historia —sobre todo en sus aspectos políticos e ideológicos— sea mucho más difícil que memorizarla. Quizá fuese oportuno, como se ha sugerido a veces, que acostumbrásemos a los alumnos a leer la historia de sus naciones y comunidades contada por quienes no pertenecen a ellas... Lo que hoy se practica en la mayoría de los sitios, desde luego, es todo lo contrario: la historia como hagiografía colectiva, como configuración de los mitos diferenciales que nos hacen *insolubles* para los demás y en la humanidad. Este uso de la narratividad histórica es precisamente el que justifica aquel dicterio de Voltaire: «Un historiador es un charlatán que hace triquiñuelas con los muertos.» Pero sobre esto volveremos en el próximo capítulo.

La sensibilidad narrativa es ante todo sensibilidad literaria: básicamente se aprende leyendo, aunque haya otras importantes formas de narración que la educación tampoco debe descuidar, como la cinematográfica. Pero leer es siempre una actividad en sí misma intelectual, un esbozo de pensamiento, algo más activamente mental que ver imágenes: después de la palabra oral, la voz escrita es el más potente tónico para el crecimiento intelectual que se ha inventado. Uno de los peores disparates de cierta pedagogía actual —¡y mira que hay donde elegir!— es retrasar el aprendizaje de la lectura, como si fuese algo secundario empezar a leer antes o después. Incluso conozco el caso de un amigo que enseñó a leer a su hijo en cuanto pudo, dado el interés del niño, y tuvo que sufrir una reprimenda en el colegio por haberle desconectado del parsimonioso ritmo de su grupo, lo que según el profesor podía causarle no sé qué traumas individualistas... En un artículo reciente aparecido en cierto diario español, un maestro bárbaro —que también los hay, desgraciadamente— profería el siguiente lema de la demagogia pseudoprogresista: «¡Menos leer *La Celestina* y más trabajo de campo!» Y así vamos.

Fomentar la lectura y la escritura es una tarea de la educación humanista que resulta más fácil de elogiar que de llevar eficazmente a la práctica. En esta ocasión, como en otras, el exceso de celo puede ser contraproducente y se logra a veces hacer aborrecer la lectura convirtiéndola en obligación, en lugar de contagiarla como un placer. Lo ha diagnosticado muy bien Gianni Rodari en su simpática *Gramática de la fantasía*: «El encuentro decisivo entre los chicos y los libros se produce en los pupitres del colegio. Si se produce en una situación creativa, donde cuenta la vida y no el ejercicio, podrá surgir ese gusto por la lectura con el cual no se nace, porque no es un instinto. Si se produce en una situación burocrática, si al libro se lo maltrata como instrumento de ejercitaciones (copias, resúmenes, análisis gramatical, etc.), sofocado por el mecanismo tradicional "examen-juicio", podrá nacer la *técnica* de la lectura, pero no el *gusto*. Los chicos sabrán leer, pero leerán sólo si se les obliga. Y, fuera de la obligación, se refugiarán en las historietas —aun cuando sean capaces de lecturas más complejas y más ricas—, tal vez sólo porque las historietas se han salvado de la "contaminación" de la escuela.» El propio Rodari propone en su libro diversas fórmulas imaginativas para que el disfrute de la lectura y la práctica de la narración oral o escrita se hagan cómplices de un mismo empeño docente abierto, poco o nada encorsetado por esa pedantería cuyos males han quedado antes dichos. También Daniel Pennac, en *Como una novela*, y Salvador García Jiménez, en su desenfadado *El hombre que se volvió loco leyendo «El Quijote»*, ofrecen convenientes preservativos contra la promulgación de la lectura por decreto y su proscripción doctoral como placer furtivo, asilvestrado. Que es la única recompensa de la lectura que merece la pena, naturalmente.

¿Humanidades, en fin? Sólo hay una en el fondo y la descripción de esa asignatura total haremos mejor pidiéndosela al poeta que al pedagogo:

Vive la vida. Vívela en la calle
y en el silencio de tu biblioteca.
Vívela con los demás, que son las únicas
pistas que tienes para conocerte.
Vive la vida en esos barrios pobres
hechos para la droga o el desahucio
y en los grises palacios de los ricos.
Vive la vida con sus alegrías
incomprensibles, con sus decepciones
(casi siempre excesivas), con su vértigo.
Vívela en madrugadas infelices
o en mañanas gloriosas, a caballo

por ciudades en ruinas o por selvas
contaminadas o por paraísos,
sin mirar hacia atrás.
Vive la vida.

(LUIS ALBERTO DE CUENCA,
«Por fuertes y fronteras»)

CAPÍTULO 6

Educar es universalizar

Hemos hablado hasta aquí de la educación tomada desde el punto de vista más amplio y general posible, con ocasionales acercamientos a la realidad presente del modelo de país en que vivimos. Pero esta perspectiva quizá demasiado abstracta no puede desconocer que bajo el mismo rótulo de «educación» se acogen fórmulas muy distintas en el tiempo y en el espacio. Los primeros grupos humanos de cazadores-recolectores educaban a sus hijos, así como los griegos de la época clásica, los aztecas, las sociedades medievales, el siglo de las luces o las naciones ultratecnificadas contemporáneas. Y ese proceso de enseñanza nunca es una mera transmisión de conocimientos objetivos o de destrezas prácticas, sino que se acompaña de un ideal de vida y de un proyecto de sociedad. Cuando se le reprochaba el excesivo subjetivismo de sus juicios, el poeta José Bergamín respondía: «Si yo fuera un objeto, sería objetivo; como soy un sujeto, soy subjetivo.» Pues bien, la educación es tarea de sujetos y su meta es formar también sujetos, no objetos ni mecanismos de precisión: de ahí que venga sellada por un fuerte componente histórico-subjetivo, tanto en quien la imparte como en quien la recibe.

Semejante factor de subjetividad no es primordialmente una característica psicológica del maestro ni del discípulo (aunque tales características no sean tampoco irrelevantes ni mucho menos) sino que viene determinado por la tradición, las leyes, la cultura y los valores predominantes de la sociedad en que ambos establecen su contacto. La educación tiene como objetivo completar la humanidad del neófito, pero esa humanidad no puede realizarse en abstracto ni de modo totalmente genérico, ni tampoco consiste en el cultivo de un germen idiosincrásico latente en cada individuo, sino que trata más bien de acuñar una precisa orientación social: la que cada comunidad considera preferible. Fue Durkheim, en *Pedagogía y sociología*, quien insistió de manera más nítida en este punto: «El hombre que la educación debe plasmar dentro de nosotros no es el hombre tal como la naturaleza lo ha creado, sino tal como la sociedad quiere que sea; y lo quiere tal como lo requiere su economía interna. [...]. Por tanto, dado que la escala de valores cambia forzosamente con las sociedades, dicha jerarquía no ha permanecido jamás igual en dos momentos diferentes de la historia. Ayer era la valentía la que tuvo la primacía, con todas las facultades que implican las virtudes militares; hoy en día [Durkheim escribe a finales del pasado siglo] es el pensamiento y la reflexión; mañana será, tal vez, el refinamiento del gusto y la sensibilidad hacia las cosas del arte. Así pues, tanto en el presente como en el pasado, nuestro ideal pedagógico es, hasta en sus menores detalles, obra de la sociedad.»

Aunque si es la sociedad establecida, desde sus estrategias dominantes y los prejuicios que lastran su perspectiva, quien establece los ideales que encauzan la tarea educativa... ¿cómo podemos esperar que el paso por la escuela propicie la formación de personas capaces de transformar positivamente las viejas estructuras sociales? Como señaló John Dewey, «los que recibieron educación son los que la dan; los hábitos ya engendrados tienen una profunda influencia en su proceder. Es como si nadie pudiera estar educado en el verdadero sentido hasta que todos se hubiesen desarrollado, fuera del alcance del prejuicio, de la estupidez y de la apatía». Ideal por definición inalcanzable. Entonces ¿tiene que ser la enseñanza obligatoriamente *conservadora*, instructora por tanto para el conservadurismo, de modo que el fulgor revolucionario de los educandos sólo se encenderá por reacción contra lo que se les inculca y nunca como una de las posibles formas de comprenderlo adecuadamente? La respuesta a este complejo interrogante no puede ser un simple «sí» o «no», es decir desoladora en ambos casos.

En primer lugar, conviene afirmar sin falsos escrúpulos la dimensión conservadora de la tarea educativa. La sociedad prepara a sus nuevos miembros del modo que le parece más conveniente para su conservación, no para su destrucción: quiere formar buenos socios, no enemigos ni singularidades antisociales. Como hemos indicado un par de capítulos atrás, el grupo *impone* el aprendizaje como un mecanismo adaptador a los requerimientos de la colectividad. No sólo busca conformar individuos socialmente aceptables y útiles, sino también precaverse ante el posible brote de desviaciones dañinas. Por su parte, también los padres quieren proteger al niño de cuanto puede serle peligroso —es decir, enseñarle a prevenirse de los males— y juntamente ellos quieren protegerse de él, es decir prevenir los males que puede acarrearles la criatura. De modo que la educación es siempre en cierto sentido conservadora, por la sencilla razón de que es una consecuencia del instinto de conservación, tanto colectivo como individual. Con su habitual coraje intelectual, Hannah Arendt lo ha formulado sin rodeos: «Me parece que el conservadurismo, tomado en el sentido de conservación, es la esencia misma de la educación, que siempre tiene como tarea envolver y proteger algo, sea el niño contra el mundo, el mundo contra el niño, lo nuevo contra lo antiguo o lo antiguo contra lo nuevo.» A este respecto, tan intrínsecamente conservadora resulta ser la educación oficial, que predica el respeto a las autoridades, como la privada y marginal del terrorista, que enseña a sus retoños a poner bombas: en ambos casos se intenta perpetuar un ideal. En una palabra, la educación es ante todo transmisión de algo y sólo se transmite aquello que quien ha de transmitirlo considera digno de ser conservado.

Y sin embargo su pedestal conservador no agota el sentido ni el alcance de la educación. ¿Por qué? En primer lugar, porque los aprendizajes humanos nunca están limitados por lo meramente fáctico (datos, ritos, leyes, destrezas...) sino que siempre se ven desbordados por lo que podríamos llamar el *entusiasmo simbólico*. Al transmitir algo aparentemente preciso inoculamos también en los neófitos el temblor impreciso que lo enfatiza y lo amplía: no sólo cómo entendemos que es lo que es, sino también lo que creemos que significa y, aún más allá, lo que quisiéramos que significase. En lo que parece constituir una notable adivinanza metafísica, Hegel dejó dicho que «el hombre no es lo que es y es lo que no es». Se refería a que el deseo y el proyecto constituyen el dinamismo de nuestra identidad, que nunca se limita a la asimilación de una forma cerrada y dada de una vez por todas. Pues bien, podríamos parafrasear el dictamen hegeliano para referirlo a la enseñanza, cuyo contenido nunca es idéntico a lo que quiere conservarse sino que acoge también lo no realizado, lo aún inefectivo, el lamento y la esperanza de lo que parece descartado. La educación puede ser planeada para sosegar a los padres, pero en realidad siempre los cancela y los rebasa. Al entregar el mundo tal como pensamos que es a la generación futura les hacemos también partícipes de sus posibilidades, anheladas o temidas, que no se han cumplido todavía. Educamos para satisfacer una demanda que responde a un estereotipo —social, personal— pero en ese proceso de formación creamos una insatisfacción que nunca se *conforma* del todo... constatación estimulante, aunque desde el punto de vista conservador ello constituya un cierto escándalo.

Pero es que, en segundo lugar, la sociedad nunca es un todo fijo, acabado, en equilibrio mortal. En ningún caso deja de incluir tendencias diversas que también forman parte de la tradición que los aprendizajes comunican. Por más oficialista que sea la pretensión pedagógica, siempre resulta cierto lo que apunta Hubert Hannoun en *Comprendre l'éducation*: «la escuela no transmite exclusivamente la cultura dominante, sino más bien el conjunto de culturas en conflicto en el grupo del que nace». El mensaje de la educación siempre abarca, aunque sea como anatema, su reverso o al menos algunas de sus alternativas. Esto es particularmente evidente en la modernidad, cuando la complejidad de saberes y quereres sociales tiende a convertir los centros de estudio en ámbitos de contestación social a lo vigente, si bien eso es algo que de un modo u otro ha ocurrido siempre. Pedagogos como Rousseau, Max Stirner, Marx, Bakunin o John Dewey han marcado líneas de disidencia colectiva a veces tan espectaculares como las que confluyeron en el año 68 de nuestro siglo, pero la historia de la educación conoce nombres revolucionarios muy anteriores: empezando por Sócrates o Platón y siguiendo por Abelardo, Erasmo, Luis Vives, Tomás Moro, Rabelais, etc. Los grandes creadores de directrices educativas no se han limitado a confirmar la autocomplacencia de lo establecido ni tampoco han pretendido aniquilarlo sin comprenderlo ni vincularse a ello: su labor ha sido fomentar una insatisfacción creadora que utilizase aquellos elementos postergados y sin embargo también activos en un contexto cultural dado.

Quien pretende educar se convierte en cierto modo en *responsable* del mundo ante el neófito, como muy bien ha señalado Hannah Arendt: si le repugna esta responsabilidad, más vale que se dedique a otra cosa y que no estorbe. Hacerse responsable del mundo no es aprobarlo tal como es, sino asumirlo conscientemente porque es y porque sólo a partir de lo que es puede ser enmendado. Para que haya futuro, alguien debe aceptar la tarea de reconocer el pasado como propio y ofrecerlo a quienes vienen tras de nosotros. Desde luego, esa transmisión no ha de excluir la duda crítica sobre determinados contenidos de conocimiento y la información sobre opiniones «heréticas» que se oponen con argumentos racionales a la forma de pensar mayoritaria. Pero creo que el profesor no puede cortocircuitar el ánimo rebelde del joven con la exhibición desaforada del propio. No hay peor desgracia para los alumnos que el educador empeñado en compensar con sus mítines ante ellos las frustraciones políticas que no sabe o no puede razonar frente a otro público mejor preparado. En vez de explicar el pasado al que pertenece, se desliga de él como si fuese un recién llegado y bloquea la perspectiva crítica que deberían ejercer los neófitos, a los que se enseña a rechazar lo que aún no han tenido oportunidad de entender. Se fomenta así el peor conservadurismo docente, el de la secta que sigue con dócil sublevación al gurú iconoclasta en lugar de esperar a rebelarse, a partir de su propia joven madurez bien informada, contra lo que llegarán por sí mismos a considerar detestable: así se convierte el inconformismo en una variedad de la obediencia. «Precisamente para preservar lo que es nuevo y revolucionario en cada niño debe ser la educación conservadora —sostiene Hannah Arendt—; debe proteger esa novedad e introducirla como un fermento nuevo en un mundo ya viejo que, por revolucionarios que puedan ser sus actos, está, desde el punto de vista de la generación siguiente, superado y próximo a la ruina.»

La educación transmite porque quiere conservar; y quiere conservar porque valora positivamente ciertos conocimientos, ciertos comportamientos, ciertas habilidades y ciertos ideales. Nunca es neutral: elige, verifica, presupone, convence, elogia y descarta. Intenta favorecer un tipo de hombre frente a otros, un modelo de ciudadanía, de disposición laboral, de maduración psicológica y hasta de salud, que no es el único posible pero que se considera preferible a los demás. Nótese que esto es igualmente cierto cuando es el Estado el que educa y cuando la educación la lleva a cabo una secta religiosa, una comuna o un «emboscado» jungeriano, solitario y disidente. Ningún maestro puede ser verdaderamente neutral, es decir escrupulosamente indiferente ante las diversas alternativas que se ofrecen a su discípulo: si lo fuese, empezaría ante todo por respetar (por ser neutral ante) su ignorancia misma, lo cual convertiría la dimisión en su primer y último acto de magisterio. Y aun así se trataría de una preferencia, de una orientación, de un cierto tipo de intervención partidista (aunque fuese por vía de renuncia) en el desarrollo del niño. De modo que la cuestión educativa no es «neutralidad-partidismo» sino establecer qué partido vamos a tomar.

En este punto, más vale abreviar un recorrido que de ningún modo podríamos efectuar en estas páginas de forma completa, ni siquiera suficiente. Creo que hay argumentos racionales para preferir la democracia pluralista a la dictadura o el unanimismo visionario, y también que es mejor optar por los argumentos racionales que por las fantasías caprichosas o las revelaciones ocultistas. En otros de mis libros he sustentado teóricamente estos favoritismos nada originales, que antes y ahora ya contaban con abogados mucho más ilustres que yo. En distintas épocas y latitudes se han propugnado ideales educativos que considero indeseables para la generación que ha de inaugurar el siglo XXI: el servicio a una divinidad celosa cuyos mandamientos han de guiar a los humanos, la integración en el espíritu de una nación o de una etnia como forma de plenitud personal, la adopción de un método sociopolítico único capaz de responder a todas las perplejidades humanas, sea desde la abolición colectivista de la propiedad privada o desde la potenciación de ésta en una maximización de acumulación y consumo que se confunde con la bienaventuranza. Los convencidos de que tales proyectos son los más estimables que puede proponerse transmitir la enseñanza considerarán inútiles o irritantes las restantes páginas de este capítulo porque verán sus ideales arrinconados con escaso debate. Lo que sigue se dirige a quienes, como yo, están convencidos de la deseabilidad social de formar individuos autónomos capaces de participar en comunidades que sepan transformarse sin renegar de sí mismas, que se abran y se ensanchen sin perecer, que se ocupen más del desvalimiento común de los humanos que de la diversidad intrigante de formas de vivirlo o de los oropeles cosificados que lo enmascaran. Gente en fin convencida de que el principal bien que hemos de producir y aumentar es la humanidad compartida, semejante en lo fundamental a despecho de las tribus y privilegios con que también muy humanamente nos identificamos.

De acuerdo con este planteamiento, me parece que el ideal básico que la educación actual debe conservar y promocionar es *la universalidad democrática*. Quisiera a continuación examinarlo con mayor detenimiento, analizando si es posible por separado los dos miembros de esa fórmula prestigiosa que, como es sabido, no siempre han ido ni van juntos. Empecemos por la universalidad. ¿Universalidad en la educación? Significa poner al hecho humano —lingüístico, racional, artístico...— por encima de sus modismos; valorarlo en su conjunto antes de comenzar a resaltar sus peculiaridades locales; y sobre todo no excluir a nadie *a priori* del proceso educativo que lo potencia y desarrolla. Durante siglos, la enseñanza ha servido para discriminar a unos grupos humanos frente a otros: a los hombres frente a las mujeres, a los pudientes frente a los menesterosos, a los citadinos frente a los campesinos, a los clérigos frente a los guerreros, a los burgueses frente a los obreros, a los «civilizados» frente a los «salvajes», a los «listos» frente a los «tontos», a las castas superiores frente y contra las inferiores. Universalizar la educación consiste en acabar con tales manejos discriminadores: aunque las etapas más avanzadas de la enseñanza puedan ser selectivas y favorezcan la especialización de cada cual según su peculiar vocación, el aprendizaje básico de los primeros años no debe regatearse a nadie ni ha de dar por supuesto de antemano que se ha «nacido» para mucho, para poco o para nada. Esta cuestión del origen es el principal obstáculo que intenta derrocar la educación universal y universalizadora. Cada cual es lo que demuestra con su empeño y habilidad que sabe ser, no lo que su cuna —esa cuna biológica, racial, familiar, cultural, nacional, de clase social, etc.— le predestina a ser según la jerarquía de oportunidades establecida por otros. En este sentido, el esfuerzo educativo es siempre rebelión contra el destino, sublevación contra el *fatum*: la educación es la *antifatalidad*, no el acomodo programado a ella... para comerte mejor, según dijo el lobo pedagógicamente disfrazado de abuelita.

En las épocas pasadas, el peso del origen se basaba sobre todo en el linaje socioeconómico de cada cual (y por supuesto en la separación de sexos, que es la discriminación básica en casi todas las culturas). Hoy siguen vigentes ambos criterios antiuniversalistas en demasiados lugares de nuestro mundo. Donde un Estado con preocupación social no corrige los efectos de las escandalosas diferencias de fortuna, los unos nacen para ser educados y los otros deben contentarse con una doma sucinta que les capacite para las tareas ancillares que los superiores nunca se avendrían a realizar. De este modo la enseñanza se convierte en una perpetuación de la fatal jerarquía socioeconómica, en lugar de ofrecer posibilidades de movilidad social y de un equilibrio más justo. En cuanto al apartamiento de la mujer de las posibilidades educativas, es hoy uno de los principales rasgos del integrismo islámico pero no exclusivo de él. Todos los grupos tradicionalistas que intentan resistirse al igualitarismo de derechos individuales moderno empiezan por combatir la educación femenina: en efecto, la forma más segura de impedir que la sociedad se modernice es mantener a las mujeres sujetas a su estricta tarea reproductora. En cuanto este tabú esencial se rompe, para desasosiego de varones barbudos y caciques tribales, ya todo es posible: hasta el progreso, en algunas ocasiones.

Pero en las sociedades democráticas socialmente más desarrolladas la educación básica suele estar garantizada para todos y desde luego las mujeres tienen tanto derecho como los hombres al estudio (obteniendo, por lo común, mejores resultados académicos que ellos). Entonces la exclusión por el origen intenta afirmarse de una manera distinta y supuestamente más «científica». Se trata de las disposiciones genéticas, la herencia biológica recibida por cada cual, que condiciona los buenos resultados escolares de unos mientras condena a otros al fracaso. Si existen personas o grupos étnicos genéticamente condenados a la ineficiencia escolar ¿por qué molestarse en escolarizarlos? Un test de inteligencia a tiempo ahorraría al Estado muchos recursos que pueden emplearse fructuosamente en otras tareas de interés público (nuevos aviones de combate, por ejemplo). No por casualidad es en Estados Unidos, las deficiencias de cuyo sistema educativo lo hacen particularmente sospechoso de derroche, donde se está viendo surgir estudios vagamente neodarwinistas en esta línea. Quizá el que ha despertado recientemente más escándalo es *The Bell Curve*, de Murray y Herrstein, cuyos análisis estadísticos basados en tests de inteligencia creen demostrar que el abismo genético entre la «elite cognitiva» que dirige la sociedad estadounidense y los estratos inferiores compuestos de marginales e inadaptados se hace cada vez mayor. En particular consideran «científicamente» probado que la media intelectual de los negros es inferior a la de otras razas, por lo que las políticas de discriminación positiva que los auxilian (por ejemplo facilitando su acceso a la universidad) son un dispendio inútil de recursos públicos. Distintas variaciones sobre estos planteamientos se insinúan cada vez con mayor frecuencia en países cuyos gobiernos y opinión pública padecen un sesgo derechista: en unos sitios los genéticamente incapaces son los negros, en otros los indios, los gitanos o los esquimales y en casi todos *los hijos de los pobres*.

Es difícil imaginar una doctrina más inhumana y repelente que ésta. Para empezar, no hay ningún mecanismo fiable para medir la inteligencia humana, que en realidad no es una disposición única sino un conjunto de capacidades relacionadas cuya complejidad no puede establecerse como la estatura o el color de los ojos. El biólogo Stephen Jay Gould argumentó en su día contra el auge de los tests de inteligencia causantes de la *mismeasure of man*, la mala medición del hombre, y Cornelius Castoriadis ha expuesto vigorosamente que «ningún test mide ni podrá medir nunca lo que constituye la inteligencia propiamente humana, lo que marca nuestra salida de la animalidad pura, la imaginación creadora, la capacidad de establecer y crear cosas nuevas. Semejante "medida" carecería por definición de sentido». Ya a comienzos de siglo Émile Durkheim situaba en su justa valoración la importancia del legado biológico que heredamos de nuestros progenitores: «Lo que el niño recibe de sus padres son aptitudes muy generales: una determinada fuerza de atención, cierta dosis de perseverancia, un juicio sano, imaginación, etc. Ahora bien, cada una de estas aptitudes puede estar al servicio de toda suerte de fines diferentes.» Es la educación precisamente la encargada de potenciar las disposiciones propias de cada cual, aprovechando *a su favor* y también a favor de la sociedad la disparidad de los dones heredados. Nadie nace con el gen del crimen, el vicio o la marginación social —como un nuevo fatalismo oscurantista pretende— sino con tendencias constructivas y destructivas que el contexto familiar o social dotarán de un significado imprevisible de antemano. Incluso en los casos de alguna minusvalía psíquica no dejan de existir métodos pedagógicos especiales capaces de compensarla al máximo, permitiendo un desarrollo formativo que no condene a quien la padece al ostracismo y a la esterilidad irreversible. Pero, a fin de cuentas, en la inmensa mayoría de los casos es la circunstancia social la herencia más determinante que nuestros padres nos legan. Y esa circunstancia empieza por los padres mismos, cuya presencia (o ausencia), su preocupación (o despreocupación), su bajo o alto nivel cultural y su mejor o peor ejemplo forman un legado educativamente hablando mucho más relevante que los mismos genes. Por tanto, la pretensión universalizadora de la educación democrática comienza intentando auxiliar las deficiencias del medio familiar y social en el que cada persona se ve obligado por azar a nacer, no refrendándolas como pretexto de exclusión.

Otra vía universalizadora de la educación consiste en ayudar a cada persona a volver a sus raíces. Es un propósito muy publicitado en la actualidad, pero notoriamente malentendido o incluso emprendido en sentido inverso al que resultaría lógico. Desde luego hablar de «raíces» en este caso es puro lenguaje figurado, porque los humanos no tenemos raíces que nos claven a la tierra y nos nutran de la sustancia fermentada de los muertos, sino pies para trasladarnos, para viajar o huir, para buscar el alimento físico o intelectual que nos convenga en cualquier parte. Admitamos sin embargo la metáfora, que tanto agrada a los nacionalistas («recuperemos nuestras raíces»), a los entusiastas de la etnicidad («conservemos la pureza de nuestras raíces»), a los integristas religiosos («la raíz de nuestra cultura es cristiana, o musulmana, o judía») y a los integristas políticos («la raíz de la democracia está en la libertad de mercado»), etc. En la mayoría de estos casos, la apelación a las raíces significa que debemos escardar de nuestro jardín nativo cuantas malezas y hierbas advenedizas turben la enraizada armonía de lo que supuestamente fue plantado en primer lugar: también que cada cual, dentro de sí mismo, debe buscar aquella raíz propia e intransferible que le identifica y le emparienta con sus hermanos de terruño. Según esta visión, la educación consistiría en dedicarse a reforzar nuestras raíces, haciéndonos más nacionales, más étnicos, más ideológicamente puros... más idénticos a nosotros mismos y por tanto inconfundiblemente heterogéneos de los demás. La única universalidad que admite este planteamiento es la universalidad de las raíces: es decir, que todos y cada uno tenemos las nuestras, universalmente encargadas de sujetarnos a lo propio y de evitar que nos enredemos confusamente con frondosidades ajenas.

Pero esta utilización metafórica de las raíces puede ser invertida y eso es precisamente lo que ha de intentar la educación universalista. Porque si nos dejamos llevar por la intuición, y no tanto por la erudición botánica, aquello en lo que más se parecen entre sí todas las plantas es precisamente en sus raíces, mientras que difieren vistosamente por la estructura de sus ramas, por su tipo de follaje, por sus flores y sus frutos. El caso de los humanos es muy semejante: nuestras raíces más propias, las que nos distinguen de los otros animales, son el uso del lenguaje y de los símbolos, la disposición racional, el recuerdo del pasado y la previsión del futuro, la conciencia de la muerte, el sentido del humor, etcétera, en una palabra, aquello que nos hace semejantes y que *nunca falta* donde hay hombres. Lo que ningún grupo, cultura o individuo puede reclamar como exclusiva ni excluyentemente propio, lo que tenemos en común. En cambio, todo el resto —las variadísimas fórmulas y formulillas culturales, los mitos y leyendas, los logros científicos o artísticos, las conquistas políticas, la diversidad de las lenguas, de las creencias y de las leyes, etc.— son el variopinto follaje y la colorista multiplicidad de flores o frutos. Es el universalista el que vuelve sobre las profundas raíces que nos hacen comúnmente humanos, mientras que los nacionalistas, etnicistas y particularistas varios siempre van de rama en rama, haciendo monerías y buscando distingos.

Apuremos la metáfora hasta el final, antes de darla de lado como antes o después hay que hacer con todas las imágenes literarias para que no se conviertan en estorbos del pensamiento. Sin raíces, las plantas mueren irremediablemente; sin follaje, flores y frutas el paisaje sería de una monotonía estéril e inaguantable. La diversidad cultural es el modo propio de expresarse la común raíz humana, su riqueza y generosidad. Cultivemos la floresta, disfrutemos de sus fragancias y de sus múltiples sabores, pero no olvidemos la semejanza esencial que une por la raíz el *sentido común* de tanta pluralidad de formas y matices. Habrá que recordarla en los momentos más cruciales, cuando la convivencia entre grupos culturalmente distintos se haga imposible y la hostilidad no pueda ser resuelta acudiendo a las reglas internas de ninguna de las «ramas» en conflicto. Sólo volviendo a la raíz común que nos emparienta podremos los hombres ser huéspedes los unos para los otros, cómplices de necesidades que conocemos bien y no extraños encerrados en la fortaleza inasequible de nuestra peculiaridad. Nuestra humanidad común es necesaria para caracterizar lo verdaderamente único e irrepetible de nuestra condición, mientras que nuestra diversidad cultural es accidental.

Ninguna cultura es insoluble para las otras, ninguna brota de una esencia tan idiosincrásica que no pueda o no deba mezclarse con otras, *contagiarse* de las otras. Ese contagio de unas culturas por otras es precisamente lo que puede llamarse *civilización* y es la civilización, no meramente la cultura, lo que la educación debe aspirar a transmitir. Dicho de otro modo y utilizando las palabras de Paul Feyerabend (en el volumen *Universalidad y diferencia*, editado por Giner y Scartezzini): «No negamos las diferencias existentes entre lenguajes, formas artísticas o costumbres. Pero yo las atribuiría a los accidentes de su situación y/o a la historia, no a unas esencias culturales claras, explícitas e invariables: *potencialmente, cada cultura es todas las culturas*. [...] Si cada cultura es potencialmente todas las culturas, las diferencias culturales pierden su inefabilidad y se convierten en manifestaciones concretas y mudables de una naturaleza humana común.» A esa potencialidad que cada cultura posee de transmutarse en todas las demás, de no ser verdadera cultura sin transfusiones culturales de las demás y sin traducciones o adaptaciones culturales con las demás, es a lo que nos referimos al hablar de civilización y también de universalidad. No se trata de homogeneizar universalmente (uno de los más reiterados pánicos retóricos de nuestro siglo, la americanización mundial, etc.) sino de romper la mitología autista de las culturas que exigen ser preservadas idénticas a sí mismas, como si todas no estuviesen transformándose continuamente desde hace siglos por influjo civilizador de las demás. ¿Etnocentrismo? Sólo lo sería si considerásemos la universalidad como una característica factual de la cultura occidental, en lugar de tenerla como un ideal valioso promovido pero también conculcado innumerables veces por occidente (signifique lo que signifique este confuso término). No, la universalidad no es patrimonio exclusivo de ninguna cultura —lo cual sería contradictorio— sino una tendencia que se da en todas pero que también en todas partes debe enfrentarse con el provincianismo cultural de lo idiosincrásico insoluble, presente por igual en las latitudes aparentemente más opuestas. Potenciar esa tendencia común y amenazada es precisamente la tarea educativa más propia para nuestro mundo hipercomunicado en el que cabe la variedad pero no el tribalismo: en cuanto a promocionar y rentabilizar lo otro, lo inefable, lo excluyente, ya se encargan desdichadamente muchas otras instancias que nada tienen que ver con la verdadera educación.

Quizá el afán histérico de hacerse inconfundible e impenetrable para los otros no sea más que una reacción ante la cada vez más obvia evidencia de que los humanos nos parecemos demasiado, evidencia que antes sólo lo era para unos cuantos espíritus avisados pero que hoy los medios de comunicación han puesto al alcance de todos. ¿Se perderán así muchos matices? ¿Nos acecha la homogeneidad universal? No lo creo, porque ya Hölderlin anunció que «el espíritu gusta darse formas» y es su gusto también que esas formas rompan lo idéntico una y otra vez. La diversidad está asegu-

rada, aunque probablemente vaya siendo cada vez
más desconcertantemente diversa y se parezca menos a las diversidades ya acrisoladas con las que
estamos familiarizados. También para ese proceso
innovador es bueno que prepare la educación a las
generaciones que van a vivirlo. Pero no nos engañemos, la flecha sociológica de nuestra actualidad
no señala ni mucho menos hacia el inevitable
triunfo «uniformizador» del universalismo. Todo
lo contrario, son abrumadoras las demostraciones
aquí y allá del éxito creciente de las actitudes antiuniversalistas, que además suelen proclamarse víctimas de la supuesta omnipotencia universalizante.
Lo que realmente está en peligrosa alza hoy es, de
nuevo, la recurrencia al origen como condicionamiento inexorable de la forma de pensar: dividir el
mundo en guetos estancos y estancados de índole
intelectual. Es decir, que sólo los nacionales puedan comprender a los de su nación, que sólo los
negros puedan entender a los negros, los amarillos
a los amarillos y los blancos a los blancos, que sólo
los cristianos comprenden a los cristianos y los
musulmanes a los musulmanes, que sólo las mujeres entienden a las mujeres, los homosexuales a los
homosexuales y los heterosexuales a los heterosexuales. Que cada tribu deba permanecer cerrada
sobre sí misma, idéntica según la «identidad» establecida por los patriarcas o caciques del grupo, en-
simismada en su pureza de pacotilla. Y que por
tanto debe haber una educación diferente para
cada uno de estos grupos que los «respete», es decir que confirme sus prejuicios y no les permita
abrirse y contagiarse de los demás. En una palabra, que nuestras circunstancias condicionen nuestro juicio de tal modo que nunca sea un juicio

intelectualmente libre, si es cierto como creyó
Nietzsche que el hombre libre es «aquel que piensa de otro modo de lo que podría esperarse en razón de su origen, de su medio, de su estado y de su
función o de las opiniones reinantes en su tiempo».
A quien piensa de tal modo los colectivizadores del
pensamiento idéntico no les consideran libres sino
«traidores» a su grupo de pertenencia. Pues bien,
aquí tenemos otra tarea para la educación universalizadora: enseñar a *traicionar* racionalmente en
nombre de nuestra única verdadera pertenencia
esencial, la humana, a lo que de excluyente, cerra-
do y maniático haya en nuestras afiliaciones acci-
dentales, por acogedoras que éstas puedan ser para
los espíritus comodones que no quieran cambiar
de rutinas o buscarse conflictos.

Es comprensible el temor ante una enseñanza
sobrecargada de contenidos ideológicos, ante una
escuela más ocupada en suscitar fervores y adhesiones inquebrantables que en favorecer el pensamiento crítico autónomo. La formación en valores
cívicos puede convertirse con demasiada facilidad
en adoctrinamiento para una docilidad bienpen-
sante que llevaría al marasmo si llegase a triunfar;
la explicación necesaria de nuestros principales valores políticos puede también fácilmente resbalar
hacia la propaganda, reforzada por las manías cas-
tradoras de lo «políticamente correcto» (que empieza por proscribir cualquier roce con la suscepti-
bilidad agresiva de los grupos sociales de presión y
acaba por decretar incorrecto el propio quehacer
político, pues éste nunca se ejerce de veras sin
desestabilizar un tanto lo vigente). De aquí que
cierta «neutralidad» escolar sea justificadamente
deseable: ante las opciones electorales concretas

brindadas por los partidos políticos, ante las diversas confesiones religiosas, ante propuestas estéticas o existenciales que surjan en la sociedad. Ha de ser una neutralidad relativa, desde luego, porque no puede rehuir toda consideración crítica de los temas del momento (que los propios alumnos van a solicitar frecuentemente y que el maestro competente habrá de hacer sin pretender situarse por encima de las partes sino declarando su toma de posición, mientras fomenta la exposición razonada de las demás), aunque debe evitar convertir el aula en una fatigosa y logomáquica sucursal del Parlamento. Es importante que en la escuela se enseñe a discutir pero es imprescindible dejar claro que la escuela no es ni un foro de debates ni un púlpito.

Sin embargo, esa misma neutralidad crítica responde a su vez a una determinada forma política, ante la que ya no se puede ser neutral en la enseñanza democrática: me refiero a la democracia misma. Sería suicida que la escuela renunciase a formar ciudadanos demócratas, inconformistas pero conforme a lo que el marco democrático establece, inquietos por su destino personal pero no desconocedores de las exigencias armonizadoras de lo público. En la deseable complejidad ideológica y étnica de la sociedad moderna, tras la no menos deseable supresión del servicio militar obligatorio, queda la escuela como el único ámbito general que puede fomentar el aprecio racional por aquellos valores que permiten convivir juntos a los que son gozosamente diversos. Y esa oportunidad de inculcar el respeto a nuestro mínimo común denominador no debe en modo alguno ser desperdiciada. No puede ni debe haber neutralidad por ejemplo en lo que atañe al rechazo de la tortura, el racismo, el terrorismo, la pena de muerte, la prevaricación de los jueces o la impunidad de la corrupción en cargos públicos; ni tampoco en la defensa de las protecciones sociales de la salud o la educación, de la vejez o de la infancia, ni en el ideal de una sociedad que corrige cuanto puede el abismo entre opulencia y miseria. ¿Por qué? Porque no se trata de simples opciones partidistas sino de *logros de la civilización* humanizadora a los que ya no se puede renunciar sin incurrir en concesión a la barbarie.

El propio sistema democrático no es algo natural y espontáneo en los humanos, sino algo *conquistado* a lo largo de muchos esfuerzos revolucionarios en el terreno intelectual y en el terreno político: por tanto no puede darse por supuesto sino que ha de ser enseñado con la mayor persuasión didáctica compatible con el espíritu de autonomía crítica. La socialización política democrática es un esfuerzo complicado y vidrioso, pero irrenunciable. En España se han escrito cosas útiles sobre este tema, entre las que yo destacaría algunas de las características señaladas por Manuel Ramírez (véase la bibliografía) a modo de índice esquemático de la mentalidad pública que debe ser promocionada: asimilación del ingrediente de relatividad que toda política democrática conlleva; fomentar la capacidad de crítica y selección; valorar positivamente la existencia de pluralismo social, así como el conflicto, que no sólo es necesario sino fructífero; estimular la participación en la gestión pública; desarrollar la conciencia de la responsabilidad de cada cual y también del necesario control sobre los representantes políticos; reforzar el diálogo frente al monólogo, el perfil de los discrepantes como rivales ideológicos pero no como enemigos civiles, y aceptar «que todo el mundo tiene derecho a equivocarse pero nadie posee el de exterminar el error». Sin duda esta lista puede enriquecerse largamente, aunque basta lo expuesto como indicación de las perspectivas educativas menos renunciables en lo tocante a esta cuestión.

La recomendación razonada de tales valores no debe ser una mera letanía edificante, que más bien acabará en el mejor de los casos haciéndolos aborrecer. Será preferible mostrar cómo llegaron a hacerse históricamente imprescindibles y lo que ocurre allá donde —por ejemplo— no hay elecciones libres, tolerancia religiosa o los jueces son venales. Resultaría absurdo ocultar a los niños los fallos del sistema en que vivimos (recuérdese lo que señalamos respecto a la televisión, que nada permite mantener mucho tiempo velado) pero es crucial inspirarles una prudente confianza en los mecanismos previstos para enmendarlos: empezar por hacerles desconfiar de las garantías de control lo único que logrará es inhibirlos cuando llegue el momento de ejercerlas, con gran contento de quienes pretenden transformar la democracia en tapadera de sus bribonadas oligárquicas. Es igualmente nefasto fomentar un «engaño» arrobado por los procedimientos beatificados del sistema, como «desengañarles» de antemano de algo que sólo su participación inteligente puede llegar a corregir y encaminar. Ese concepto abierto de democracia, escéptico y atento, pero no por ello menos tonificante, lo ha formulado muy bien Giacomo Marramao en su contribución al volumen *Universalidad y diferencia* antes mencionado: «La democracia es siempre *ad-venire*, puesto que no sacrifica nunca a la utopía de una transparencia absoluta la opacidad de la fricción y del conflicto. La democracia no goza de un clima atemperado, ni de una luz perpetua y uniforme, pues se nutre de aquella pasión del desencanto que mantiene unidos —en una tensión insoluble— el rigor de la forma y la posibilidad de acoger "huéspedes inesperados".»

A GUISA DE EPÍLOGO

Carta a la ministra

Concédame, excelentísima señora, que concluya estas reflexiones dirigiéndome personalmente a usted. Lo de «personalmente» debe entenderse *cum mica salis*, como me gustaría que se entendiese por otra parte cuanto escribo. No tengo el honor de conocerla personalmente, ni siquiera la imagino como una persona determinada, sino más bien como la antonomasia genérica de cuantas autoridades se ocupan en este o en otro país de gestionar las instituciones educativas. Por supuesto, bien pudiera usted ser hombre y no mujer, sin que el contenido de esta misiva sufriera alteración por ello, pero he comprobado visitando distintos y distantes lugares que en la titularidad de esta área gubernamental abundan las responsables femeninas. Pudiéramos considerarlo buena señal, aunque me inquieta un poco que cuando se avecina cambio de ministros los medios de comunicación y el público en general hagan cábalas sobre quién se ocupará de Interior, de Economía, de Justicia o de Asuntos Exteriores, pero Educación sólo suscita escasas y lánguidas conjeturas. No me imagino a qué puede deberse este curioso fenómeno: ¿usted qué cree? En cualquier caso, no le oculto que me es más grato fingir una misiva dirigida a una dama que a un caballero, aunque la señora en cuestión sea lo que Schopenhauer llamaba, con su habitual falta de modales, «una criatura ministerial».

Supongámosla pues excelentísima y no excelentísimo, señora ministra. Y supongamos aún más: que usted ha tenido la suficiente paciencia como para distraer tiempo a sus múltiples ocupaciones y leer las páginas de este ensayo, por lo menos breve a falta de mayores méritos. En tal caso, quizá se pregunte usted cuál es la verdadera y última razón que me ha llevado a escribirlo. Y yo podría contestarle a usted, por ejemplo, con la siguiente justificación: «He sido consultado en los últimos tiempos tan a menudo por personas que declaraban no saber cómo educar a sus hijos y, por otra parte, la corrupción de la juventud se ha convertido en un tema tan universal de lamentaciones, que me parece que no se podrá tachar de impertinente la empresa del que atrae sobre este tema la atención del público y propone algunas reflexiones personales acerca de la cuestión, en el intento de animar los esfuerzos de los otros y de provocar sus críticas.» Convendrá usted conmigo en que estas palabras suenan perfectamente adecuadas hoy para excusar un intento como el mío, pero no me decido a emplearlas porque ya lo hizo John Locke el 7 de marzo de 1693 al enviar sus *Pensamientos sobre la educación* al *squire* Eduardo Clarke, de Chipley. Por cierto, cuánto duran las dudas y los temores en estos asuntos, ¿verdad? Intentaré pues legitimar mis propósitos de una forma más personal.

Demos un pequeño rodeo. Usted, excelentísima señora, es conocida por su acendrado entusiasmo por la libertad. Lo comparto con todo fervor. Pero esta querencia liberal nos pone en una situación difícil frente a la educación, porque ¿cómo justificaremos desde nuestros presupuestos la enseñanza *obligatoria*? ¿No debería ser en cambio una oferta más entre las que brinda el gran mercado democrático en que vivimos, de modo que aquellos padres deseosos de educar a sus hijos pudieran beneficiarse de ella pero los que prefiriesen mantenerlos asilvestrados o enseñarles por sí mismos otras cosas que no figuran en los *currícula* oficiales también pudieran seguir su gusto sin coacciones? Después de todo, los años de aprendizaje son una imposición (¡y una imposición grave, que en los países desarrollados puede extenderse hasta casi un cuarto de la duración media de la vida!) infligida por las autoridades políticas a los individuos. ¿Acaso es tan innegablemente bueno llegar a obtener conocimientos y además precisamente esos conocimientos homologados por el consenso social mayoritario, no otros? ¿Acaso el Eclesiastés no advierte que «quien añade ciencia, añade dolor» a la existencia humana?

No puede resultar por tanto demasiado extravagante que en ciertos lugares (los Estados Unidos, ejemplarmente) se hayan alzado propugnadores de una cierta objeción de conciencia o insumisión contra la enseñanza obligatoria: en algunos casos prefieren dejar a sus hijos en barbecho, quizá en libre contacto con la naturaleza (supongo que se refieren al paisaje, al campo y a cosas así), invocando el precedente de no-escolarizados ilustres que llegaron a lo más alto, como Abraham Lincoln; otros desconfían de la formación controlada por el estado y se niegan a que sus vástagos entren en la competición de los títulos oficiales, como si no se pudiera vivir y ser útil sin poseer certificados con sello de la autoridad competente; los hay seguros de que ellos mismos son capaces de enseñarles lo que verdaderamente se requiere para una vida como es debido, en ruptura con la sociedad consumista establecida y respetuosa del maltratado medio ambiente, o que pueden proporcionarles maestros no oficiales que cumplirán esa tarea sin someterse a la rutina establecida. Después de todo, allá donde se ha logrado poner en vigor la enseñanza obligatoria también abunda la masificación y el fracaso escolar, la desidia burocrática de los docentes, la arbitrariedad vacilante de los planes de estudio, incluso quizá el perverso propósito de convertir a los neófitos en dóciles y adocenados robots al servicio de la omnipotencia castradora del poder establecido. Desde nuestro así acosado liberalismo democrático, ¿qué les podemos responder usted y yo, señora mía, a estos rebeldes que parecen tener clara su causa?

Creo haber avanzado ya algunas respuestas parciales a buena parte de estas objeciones en los tres últimos capítulos de este ensayo y no le niego que tal era en cierta medida mi propósito al escribirlos. Pero ahora voy a verme obligado a tomar de nuevo la cuestión desde una perspectiva aún más aérea. En efecto, yo también doy por supuesto —como usted, si no me equivoco— que el objetivo de ese artefacto político por antonomasia, la democracia, consiste en institucionalizar la libertad de las personas en su relación con el poder colectivo de la comunidad de la que forman parte. Es decir reconocerles voz, voto, capacidad de debate público y de decisión en el establecimiento de leyes, autoridades y orientación del rumbo comunitario. En una palabra, convertir al individuo autónomo en último referente de la legitimidad del proceder colectivo: que la sociedad cobre sentido por medio de la voluntad de las personas y no que las personas obtengan su sentido del servicio que prestan a una voluntad común, de la que son portavoces irrevocables unos pocos predestinados en autoproclamada comunicación directa con el destino del pueblo, la verdad científica de la economía o las raíces ancestrales de la tribu.

Bien está. Pero la libertad política que estamos reclamando (es una reclamación incesante, inacabable, que constantemente se amplía a sí misma, en la que cada satisfacción parcial despierta de inmediato una insatisfacción de más ancho espectro) no estriba solamente en emanciparse del ordenancismo injusto de una autoridad no elegida por la mayoría de sus iguales. Los viejos filósofos medievales, a los que haríamos mal en desdeñar apresuradamente, hablaron de dos tipos de libertad: la *libertas a coactione* y la *libertas a miseria*. La primera estriba en verse libre de la tiranía de los que nos oprimen políticamente por la fuerza; la segunda consiste en resguardarse contra la tiranía de las necesidades que se nos impone en forma de indigencia, escasez, enfermedad, debilidad por infancia o vejez, accidentes e ignorancia. Los verdaderos amigos de la libertad, como sin duda lo somos su excelencia y yo, no podemos quedar contentos con esforzarnos por lograr una libertad parcial y hemipléjica, sino que tenemos que aspirar incansablemente a la libertad completa, sin aceptar la coacción injusta para aliviar la miseria y sin resignarnos a la miseria para evitar toda coacción. Como sabe usted muy bien, ha habido regímenes dictatoriales que incurrieron en el primero de tales abusos, como hoy los hay que parecen aceptar como inevitable el segundo. ¿Llamaremos a estos últimos neoliberales? Pues digamos que tal neoliberalismo calcula regular en cuestiones económicas, pero en lo social y en lo político piensa francamente mal.

Uno de los ingredientes más perversos de la miseria, permítame que insista en él, es la ignorancia. Donde hay ignorancia, es decir donde se desconocen los principios básicos de las ciencias, donde las personas crecen sin la capacidad de escribir o leer, donde carecen de vocabulario para expresar sus anhelos y su disconformidad, donde se ven privados de la capacidad de aprender por sí mismos lo que les ayudaría a resolver sus problemas, viéndose en manos de brujos o adivinos que no comparten las fuentes teosóficas de su conocimiento... ahí reina la miseria y no hay libertad.

Excelentísima señora, la democracia no consiste solamente en respetar los derechos iguales de los ciudadanos, porque los ciudadanos no son un fruto natural de la tierra que brota espontáneamente sin más ni más. La democracia tiene que ocuparse también de crear los ciudadanos en cuya voluntad política apoya su legitimidad, es decir tiene que *enseñar* a cada ciudadano potencial lo imprescindible para llegar a serlo de hecho. Por eso en las sociedades democráticas la educación no es algo meramente opcional sino una obligación pública que la autoridad debe garantizar y vigilar. El sistema democrático tiene que ocuparse de la enseñanza obligatoria de los neófitos para asegurar la continuidad y viabilidad de sus libertades: es decir, *por instinto de conservación*. Educamos en defensa propia.

¿Quieran o no sus padres? Pues sí, quieran o no. Los hijos no son propiedad de sus padres, ni simples objetos para que éstos satisfagan sus veleidades —por amorosas que sean— o realicen experimentos irrestrictos. Tampoco deben estar sometidos sin ayuda de la comunidad a los límites económicos o culturales de sus progenitores. Como en capítulos anteriores he sostenido, creo que la educación es un artificio contra lo fatal e irremediable, contra el destino de nuestra cuna. Por tanto me parece siempre más democrático favorecer la formación de los individuos que han de ser autónomos que respetar la autonomía familiar empeñada en condicionar o mutilar sus posibilidades de conocimiento. Desde luego, ello no quiere decir que las preferencias educativas de los padres deban ser sistemáticamente rechazadas o pasadas por alto. La autoridad social ha de encargarse de asegurar un mínimo suficiente común en todas las fórmulas educativas que se apliquen, pero respetando las orientaciones ideológicas diversas que reclamen las familias de cada niño —siempre que no infrinjan teórica o prácticamente los derechos fundamentales de la persona— y también el énfasis que cada cual quiera poner en reforzar determinados conocimientos optativos frente a otros igualmente posibles.

La enseñanza debe ser tan pluralista como la sociedad misma y en ella es conveniente que puedan hallar acomodo estilos y sesgos diferentes. Pero lo mismo que ningún padre debe ver a su hijo sin estudios por razones económicas, tampoco ninguno tiene derecho a privarle de ellos por razones ideológicas. Incluso para renunciar al conocimiento hay que tener ciertos conocimientos; y todos los enemigos de los títulos académicos que conozco han llegado a tan justificable aborrecimiento después de obtener el suyo. Sólo los fanáticos suponen que el principal designio de la educación democrática es crear esclavos satisfechos. Más allá de las limitaciones contingentes que pervierten de hecho las mejores intenciones, el objetivo de una educación humanista (en el sentido explicado en el capítulo quinto) no es identificar al neófito con dogmas inamovibles o formas de ser eternas sino enseñarle a *cambiar* sin desmoronarse, sin culpabilizarse y sin perder capacidad para seguir inventándose una buena vida. Bien puede suceder que este loable propósito nunca llegue a cumplirse sino de modo muy mediocre, pero ello no descalifica el intento ni desautoriza la presión social que lo reclama.

El saber que la enseñanza pretende transmitir no es la suma de conocimientos y experiencias aceptadas por los padres (que éstos deben y pueden comunicar personalmente, incluso como rebeldía a la enseñanza establecida: la dialéctica entre los padres y la escuela siempre resulta sumamente educativa) sino el conjunto de contenidos culturales básicos socialmente aceptados. El niño va a la escuela para ponerse en contacto con el saber de su época, no para ver confirmadas las opiniones de su familia. Los liberales como usted y como yo, señora ministra, no podemos regatearle esta ocasión quizá providencial de independencia, puesto que de fraguar individuos autónomos se trata. Tampoco compartimos, estoy seguro, muchas de las reservas que ciertos liberales históricos tuvieron contra la enseñanza pública. Adam Smith, por ejemplo, sostuvo (al final de *La riqueza de las naciones*, consulte su ejemplar) que gracias a que no había enseñanza pública para las mujeres éstas no aprendían nada «inútil, absurdo o fantástico» sino sólo cosas provechosas «como aquello que aumenta el natural atractivo de sus personas y forma su mente para la reserva, la modestia, la castidad y el ahorro». Con ese programa de estudios edificante pero quizá algo estrecho de miras se nos habría negado el placer de tenerla a usted, estimada amiga, al frente de un ministerio...

Claro que no es forzoso que la mejor enseñanza sea la impartida en las escuelas públicas, organizadas estatalmente. Frente a la masificación o las deficiencias de éstas, son aceptables y deseables ofertas privadas sobre las que el Estado no ejerza sino un homologador control de calidad. Quizá hasta sean oportunos intentos revolucionarios como aquel que proponía Hans Magnus Enzesberger hace años: un grupo de padres de distintas profesiones y especialidades que ponen a sus hijos en común los van llevando rotativamente de uno de sus hogares a otro y en cada casa el progenitor de turno les da la lección correspondiente. En este campo es precisa mucha flexibilidad y una sintonía lo menos burocrática posible entre la comunidad docente de cada centro y el ministerio público que ha de encargarse de verificar los resultados de acuerdo con pautas pluralísticamente comunes.

Ahora bien, no nos engañemos: la enseñanza no puede ser un bien más de los que se ofrecen en el mercado. Si así fuera, no haría más que reproducir aquello que los liberales como usted y yo queremos dar oportunidad de superar a los nuevos individuos: las desigualdades de origen existentes. Los pudientes contarían con buenas escuelas bien remuneradas, con los mejores profesores y medios, con establecimientos excelentes en los barrios residenciales próximos a los hogares que habitan sus hijos. Los pobres, en cambio, no tendrían derecho más que a escuelas tan pobres como ellos mismos, las únicas que aceptarían instalarse en los barrios económicamente menos prometedores, gestionadas por santos de la resignación social o de la frustración profesional. Si se les diera ocasión de ir a otras mejores (por medio del llamado «bono escolar», por ejemplo) se verían obligados a largos desplazamientos o a tantear entre ofertas que sus padres, probablemente con formación cultural sólo discreta, tendrían muy difícil evaluar. Quienes más necesitan mejor instrucción, porque encuentran poco apoyo e impulso hacia ella en sus casas, estarían destinados, salvo azar venturoso, a la más mediocre, adocenada y carente de medios educativos. Excelentísima señora, como usted sabe muy bien, a los liberales este desajuste no puede sino indignarnos.

Y aún nos indignaría mucho más que un recorte de recursos estatales deteriorase la enseñanza pública hasta el punto de hacer irremediable el triunfo social de la privada. Sería una auténtica vergüenza y un atentado inequívoco contra la libertad democrática, que consideramos nuestro prioritario ideal político. Sobre todo en un país como España, donde todos los gobiernos progresistas se han caracterizado por reforzar la enseñanza pública y todos los autoritarismos caciquiles por censurarla o depauperarla. No necesito recordarle lo que ha significado en la dramática historia reciente la escuela pública en nuestro país, sin duda mucho más de lo que puede medir su valor de eficacia en el mercado: si quiere refrescar literariamente esa memoria, le aconsejo la conmovedora *Historia de una maestra*, de Josefina Aldecoa, o el precioso cuento «La lengua de las mariposas», incluido por Manuel Rivas en su libro *¿Qué me quieres, amor?* Es lógico y conveniente que los recursos estatales que han de concentrarse en la educación se reserven mayoritariamente para la enseñanza pública, a fin de dotarla de la mejor calidad posible y del más enriquecedor pluralismo. Como buenos liberales, en cambio, respetaremos la sabia mano del mercado para sostener o liquidar los centros privados, de acuerdo con el juego no menos privado de la oferta y la demanda...

Tal ha sido, pues, la pretensión de este ensayito: una consideración general de la educación desde el punto de vista de la libertad democráticamente instituida. Con la patosa audacia del profano, he saltado por encima de las disquisiciones especializadas sobre técnicas pedagógicas, programas académicos, embrollos de financiamiento, formación del profesorado, etc., para vislumbrar el *sentido* que puede tener hoy la educación, cuando se la mira desde la orilla democrática. Buscar el «sentido» de algo es pretender acotar su orientación propia, su valor intrínseco y su significado vital para la comunidad humana. La pregunta por el sentido de la educación no equivale tan sólo a ¿qué es la educación?, sino más bien a ¿qué queremos de la educación?, y hasta ¿qué deberíamos pedirle a la educación? Desde luego, no basta con enseñar a los neófitos unas cuantas habilidades simbólicas y prepararles para desempeñar un oficio; ni mucho menos con inculcarles hábitos de obediencia y respeto, ni siquiera fermentos de inconformismo. No, es necesario algo más: hay que entregarles la completa *perplejidad* del mundo, nuestra propia perplejidad, la dimensión contradictoria de nuestras frustraciones y nuestras esperanzas. Hay que decir pedagógicamente a los que vienen que lo esperamos todo de ellos, pero que no podemos quedarnos a esperarles. Que les transmitimos lo que creemos mejor de lo que fuimos pero que sabemos que les será insuficiente... como fue insuficiente también para nosotros. Que lo transformen todo, empezando por sí mismos, pero guardando conciencia —por fidelidad a lo humano, su raíz única y verdadera, ese manojo de tentáculos que bajo las apariencias busca a los demás y se traba con ellos— de qué es y cómo es (de qué fue y cómo fue) lo que van a transformar. ¿Me permite una exageración retórica final, señora ministra? El sentido de la educación es conservar y transmitir el *amor intelectual a lo humano*.

Ya sé, ya sé, excelentísima amiga, que tal propósito es demasiado amplio para su negociado y que nadie se atrevería a incluirlo en el plan de estudios. Por eso tiene cierta justificación que un filósofo ignorante —a fin de cuentas todos los filósofos no tenemos más remedio que serlo, porque hablamos siempre *hacia* lo que no sabemos— se haya ocupado mejor o peor de estas elucubraciones panorámicas que impacientan en cualquier ministerio. Pero ya doy mi empeño por concluido (mejor dicho: por abandonado), de modo que estas últimas divagaciones no son más que las jadeantes confidencias de quien abusa de una oyente amable para tratar de convencerse en voz alta a sí mismo de que, aunque llegase el último, por lo menos corrió en la dirección debida. Es algo así como la charla imaginada por Lewis Carroll entre la tortuga invencible y la liebre sentada sobre su caparazón, yendo pasito a pasito y en buena compañía hacia los vestuarios, resignadas ambas a la necesaria ironía de su competición.

Señora ministra, habitamos un mundo en el que se han globalizado ciertas cosas pero aún queda mucho por globalizar. Los flujos especulativos de la economía, por ejemplo, son globales, así como en gran medida la consideración geoestratégica de las fuerzas productivas, el comercio de armas, las telecomunicaciones y los transportes. Otros aspectos, en cambio, están lejos de haberse globalizado o, si usted lo prefiere, podríamos decir que han visto globalizarse por el contrario la *fragmentación*. Es lo que señala con tino Juan Carlos Tedesco: «Si, por ejemplo, Internet nos permite interactuar con personas a miles de kilómetros de distancia, los prejuicios raciales, étnicos y culturales nos impiden dialogar con el vecino y nos obligan a discutir de nuevo si es conveniente educar juntos a los niños con las niñas.» Se mundializan los intereses económicos pero no logra mundializarse el interés por los derechos básicos de la persona humana. El mundo se unifica en lo tocante a las tarjetas de crédito y los fusiles Kaláshnikov, pero sigue incapaz de afrontar de manera global el hambre, la guerra, la superpoblación, la protección del medio ambiente, el respeto a las libertades públicas y el combate contra la discriminación racial o sexual, etc. ¿A qué se debe este desajuste?

Se lo indico en pocas palabras: los especuladores financieros, los industriales en busca de mercados atractivos y mano de obra barata, los traficantes de ingenios bélicos o incluso de aparatos de tortura (¡la libertad de comercio, ¡ay!, señora mía!) saben muy bien lo que ganan mundializando su campo de operaciones. No así en cambio los políticos nacionales y los administradores públicos de las diferencias culturales, que en la globalización a escala de humanidad entera de sus respectivas áreas sólo ven inconvenientes: pérdida de poder personal (más vale ser cabeza de ratón que cola de león), decadencia paulatina de los prejuicios tribales, control internacional sobre las reclamaciones de individuos o minorías locales, puesta en cuestión de privilegios de los países ricos, necesidad de buscar una identidad común no basada en el antagonismo con los vecinos y con los infieles religiosos o ideológicos, etc. A ello se unen también los obstáculos que este segundo tipo de mundialización pondría al despliegue arrollador de la primera: si los derechos humanos fuesen efectivamente universales, la universalización de la economía basada exclusivamente en el aumento de ganancias y su concentración en unas cuantas manos no sería factible con la docilidad casi irremediable ahora vigente.

En mi opinión, que le revelo de amigo a amiga en esta hora final de las confidencias, la educación democrática debería fomentar el desarrollo de la mundialización humanista actualmente postergada. Para ello sería gran cosa promocionar no el abandono de los intereses económicamente calculables sino el refuerzo de otros intereses también tangibles pero que no pueden calcularse sino que deben *razonarse*. Es lo que intentan hacer hoy mismo, cara al siglo venidero ya en puertas, la reflexión ética y la filosofía política que no se conten-

tan con el lamento apocalíptico ni con la resignación ante lo supuestamente inevitable. Los viejos
alquimistas hablaban del *aurum non vulgui*, un
tipo de oro distinto y superior al vulgar, es decir, a
aquel con que se contenta la vulgaridad mayoritaria. A los niños habría que familiarizarles cuanto
antes con las recompensas en ese tipo de patrón
oro distinto, espiritual, cívico (el supremo placer
de no tener amos pero sobre todo de no ser amo
de nadie), afectivo o estético.

También sensorial: aprender a disfrutar con las
caricias, con la risa, con las miradas de agradeci-
miento, con la charla y el debate, con los paseos a
la caída de la tarde (como cuentan que los daba Je-
hová en el Edén), con lo que no se puede tasar ni
nadie cobra a otro. Nada tan miserable como ese
hábito —muy anglosajón, pero no sólo anglosajón— de gratificar a los niños con propinas cuando realizan cualquier pequeño servicio familiar.
Con el pretexto de fomentar su sentido del ahorro
o de la responsabilidad, se les convierte en pequeños empleados de aquellos cuya alegre compañía
debería ser su mejor recompensa. Cuando crezcan,
no disfrutarán con nada que no hayan pagado caro
o que no vean envidiar o necesitar a otros. Es el
fracaso de la cultura, al menos del sentido superior
de la cultura. ¿Se ha dado usted cuenta, señora ministra, de que cuanto menos preparación cultural
auténtica tiene alguien más dinero necesita gastar
para divertirse un fin de semana o durante unas
vacaciones? Como nadie les ha enseñado a producir gozos activos *desde dentro*, creadoramente, todo
tienen que comprarlo fuera. Incurren en el fallo de-
nunciado ya hace siglos por un sabio taoísta: «El
error de los hombres es intentar alegrar su corazón

por medio de las cosas, cuando lo que debemos hacer es alegrar las cosas con nuestro corazón.»

Bueno, cuando empiezo a citar a sabios chinos es evidente que ha llegado la hora de cerrar la tienda. Además cierto diablillo cínico me susurra al oído una advertencia de Oscar Wilde, que también era sabio aunque irlandés: «La educación es algo admirable, pero de vez en cuando conviene recordar que las cosas que verdaderamente importa saber no pueden enseñarse.» Sí y no, querido tío Oscar. También algunas de las cosas que se enseñan son verdaderamente importantes: no aprender a leer, por ejemplo, me hubiese privado de tus pícaras recomendaciones... Vuelvo con usted, señora ministra. ¿Sabe cuál es el más notable efecto de la buena educación? Despertar el apetito de *más* educación, de nuevos aprendizajes y enseñanzas. El bien educado sabe que nunca lo está del todo pero que lo está lo suficiente como para querer estarlo más; quien cree que la educación como tal concluye en la escuela o en la universidad no ha sido realmente *encendido* por el ardor educativo sino sólo *barnizado* o decorado por sus tintes menores. Y como diría el corrido mexicano, ya con ésta me despido. Sólo una anécdota postrera. La última vez que Cioran viajó a España, el entonces ministro de Cultura —que había sido colega mío de universidad y persecuciones franquistas— me insistió en conocerle personalmente. Sabiendo lo poco cancilleresco que era mi maestro rumano, organicé una cena lo más relajada e informal posible. Todo transcurrió muy cordialmente y yo me divertí mucho, sobre todo ante el empeño que puso Cioran en hablar un rumano afrancesado que él sostenía que era español. Al salir del restaurante, Cioran abrazó

con su habitual cordialidad al ministro y le recomendó con sonriente afecto: «¡Bueno... que no sea
usted ministro demasiado tiempo!» Con la misma
sonrisa y el mismo voto se despide de usted, excelentísima señora, este modesto funcionario de su
departamento.

San Sebastián, agosto; Madrid, diciembre de 1996

Alguna bibliografía
citada o consultada

Aldecoa, Josefina, *Historia de una maestra*, Anagrama, Barcelona, 1995.

Arendt, Hannah, «La crisis de la educación», en *Between Past and Future*, Viking Press, Nueva York, 1968.

Ball, S. J. (comp.), «Foucault y la educación», Morata, Madrid, 1993.

Berbaum, Jean, *Aprendizaje y formación*, Fondo de Cultura Económica, México, 1988.

Bettelheim, Bruno, *Educación y vida moderna*, Crítica, Barcelona, 1982.

Bruner, Jerome, *The Culture of Education*, Harvard University Press, Cambridge, Mass., 1996.

Carrithers, Michael, *¿Por qué los humanos tenemos culturas?*, Alianza Editorial, Madrid, 1995.

Closets, François de, *Le Bonheur d'apprendre et comment on l'assasine*, Seuil, París, 1996.

Delors, Jacques (pres.), *La educación encierra un tesoro (Informe a la UNESCO sobre la educación en el siglo XXI)*, Santillana, Madrid, 1996.

Delval, Juan, *Los fines de la educación*, Siglo XXI, Madrid, 1990.

Dewey, John, *Pedagogía y filosofía* (antología preparada por Joseph Ratner), Francisco Beltrán, Madrid, 1930.

Dowling, E. y Osborne, E., *Familia y escuela*, Paidós, Barcelona, 1996.

Durkheim, Émile, *Historia de la educación y de las doctrinas pedagógicas*, Ediciones La Piqueta, Madrid, 1982.

—, *Educación y sociedad*, Península, Barcelona, 1989.

Fernández Pérez, Miguel, *Las tareas de la profesión de enseñar*, Siglo XXI, Madrid, 1994.

Freire, Paulo, *La educación como práctica de la libertad*, Siglo XXI, Madrid, 1989.

—, *Pedagogía del oprimido*, Siglo XXI, Madrid, 1995.

Frelat-Kahn, Brigitte, *Le savoir, l'école et la démocratie*, Hachette, París, 1996.

García Jiménez, Salvador, *El hombre que se volvió loco leyendo «El Quijote»*, Ariel, Barcelona, 1996.

Giner, Salvador y Scartezzini, Ricardo (eds.), *Universalidad y diferencia*, Alianza Universidad, Madrid, 1996.

Hannoun, Hubert, *Comprendre l'éducation*, Nathan, París, 1995.

—, *Les paris de l'éducation*, PUF, París, 1996.

Larrosa, Jorge (ed.), *Escuela, poder y subjetivación*, Ediciones La Piqueta, Madrid, 1995.

Luhmann, Niklas, *Teoría de la sociedad y pedagogía*, Paidós, Barcelona, 1996.

Meyer, Michel, *La insolencia*, Ariel, Barcelona, 1996.

Moor, Paul, *El juego en la educación*, Herder, Barcelona, 1987.

Passmore, John, *Filosofía de la enseñanza*, Fondo de Cultura Económica, México, 1983.

Pennac, Daniel, *Como una novela*, Anagrama, Barcelona, 1994.

Pérez-Díaz, Víctor, «La educación en España: reflexiones retrospectivas», ASP Research Papers, Gabinete de Estudios ASP, Madrid, 1995.

Postman, Neil, *The Dissapearance of the Childhood*, Vintage Books, Nueva York, 1982.

Ramírez, Manuel, «La socialización política en España», en *Europa en la conciencia española y otros estudios*, Trotta, Madrid, 1996.

Reboul, Olivier, *La philosophie de l'éducation*, PUF, París, 1989.

—, *Les valeurs de l'éducation*, PUF, París, 1992.

Rivas, Manuel, *¿Qué me quieres, amor?*, Alfaguara, Madrid, 1996.

Rodari, Gianni, *Gramática de la fantasía*, Textos del Bronce, Barcelona, 1966.

Roheim, Géza, *Psychanalyse et Anthropologie*, Gallimard, París, 1967.

Russell, Bertrand, *On Education*, Routledge, Londres, 1930.

—, *Education and the Social Order*, Routledge, Londres, 1932.

Sánchez Ron, José Manuel, *Diccionario de la ciencia*, Planeta, Barcelona, 1996

Silveira, Pablo da, *La segunda reforma*, Fundación Banco de Boston, Montevideo, 1995.

—, «¿Se puede justificar la obligación escolar?», *Claves de Razón Práctica*, n.º 59, Madrid, enero-febrero de 1996.

Tait, Katharine, *My Father Bertrand Russell*, Thoemmes Press, Bristol, 1996.

Tedesco, Juan Carlos, *El nuevo pacto educativo*, Anaya, Madrid, 1995.

Varela, J. y Álvarez-Uría, F., *Arqueología de la escuela*, Ediciones La Piqueta, Madrid, 1991.

Ventimiglia, Carmine, *Paternità in controluce*, Franco Angeli, Milán, 1966.

Pensadores ante la educación

(Esta galería de retazos no tiene ninguna pretensión exhaustiva. Si ni yo mismo he quedado exhausto componiéndola, cuanto menos la historia del tema al que se refieren. Por tanto debería ser valorada por lo interesante de las inclusiones y no por lo arbitrariamente omitido. No he buscado dictámenes ilustres que respalden las tesis de mi ensayo sino vislumbres significativos de perspectivas a veces coincidentes y otras opuestas. Sólo cito lo que me parece intelectual y moralmente sugerente hoy, salvando dentro de lo posible la disparidad de criterios impuesta por la distancia histórica. Prescindo del regodeo en lo que osadamente considero aberraciones y disparates de pensadores eminentes, que a veces asoman pocas líneas arriba o abajo de los fragmentos seleccionados. En cualquier caso, no pretendo esbozar una guía del devenir de la razón pedagógica a través de los textos, sino complementar las reflexiones ofrecidas en páginas anteriores y acompañar su deseable discusión. Apenas hace falta decir que los títulos de cada entrada son de mi cosecha y que por tanto ningún autor citado tiene culpa del que le ha correspondido. Agradezco a mis amigos Tomás Pollán, Aurelio Arteta, Juan A. Rodríguez Tous, Héctor Subirats, Ángel Gabilondo y a mi hijo Amador el haberme recordado o descubierto algunos textos de este florilegio, así como también otros utilizados en el cuerpo de mi ensayo.)

Un preceptor fiel

El anciano jinete Fénix, que sentía gran temor por las naves aqueas, dijo después de un buen rato y saltándosele las lágrimas:

—Si piensas en el regreso, preclaro Aquiles, y te niegas en absoluto a defender del voraz fuego las veleras naves porque la ira penetró en tu corazón, ¿cómo podría quedarme solo y sin ti, hijo querido? El anciano jinete Peleo quiso que yo te acompañase el día en que te envió desde Ptía a Agamenón, todavía niño y sin experiencia de la funesta guerra ni del ágora, donde los varones se hacen ilustres; y me mandó que te enseñara a hablar bien y a realizar grandes hechos. Por esto, querido hijo, no querría verme abandonado de ti, aunque un dios en persona me prometiera rasparme la vejez y dejarme tan joven como cuando salí de la Hélade...

(HOMERO, *Ilíada*, canto IX)

El animal más difícil

Apenas vuelva la luz del día es necesario que los niños vayan a la escuela. Pues ni las ovejas ni otra clase alguna de ganado puede vivir sin pastor, tampoco es posible que lo hagan los niños sin pedagogo ni los esclavos sin dueño. Pero, de entre todos los animales, el más difícil de manejar es el niño; debido a la misma excelencia de esta fuente de razón que hay en él, y que está todavía por disciplinar, resulta ser una bestia áspera, astuta y la más insolente de todas. Por eso se le debe atar y sujetar con muchas riendas, por así decirlo; en primer lugar, apenas salga de los brazos de su nodriza y de la madre, hay que rodearle de preceptores que controlen la ignorancia de su corta edad; luego hay que darle maestros que lo instruyan en toda clase de disciplinas y ciencias, según conviene a un hombre libre. Como a esclavo que en alguna manera es, cualquier hombre libre podrá castigarle, tanto al niño como a su pedagogo y a su preceptor, por cualquier falta que viera comete cualquiera de ellos. Cualquiera que, encontrándose con ellos, no los castigara como es debido, incurre primeramente en la mayor de las deshonras, y el guardián de las leyes que ha sido especialmente elegido para atender a la infancia deberá observar, al pasar, quien que se encuentre con el grupo deja de castigarlos cuando debiera hacerlo, o no los castiga como sería debido. Este inspector de nuestra juventud deberá tener una vista muy penetrante y ejercer una vigilancia extrema sobre la educación de los niños, y enderezar sus naturalezas, dirigiéndolas siempre hacia el bien que prescriben las leyes.

(PLATÓN, *Las leyes*, libro VII)

Educar para la ciudadanía

Desde luego nadie va a discutir que el legislador debe tratar muy en especial de la educación de los jóvenes. Y, en efecto, si no se hace así en las ciudades se daña su constitución política, ya que la educación debe adaptarse a ella. El carácter particular de cada régimen suele preservar su constitución política como la ha establecido en su origen; es decir, el carácter democrático, la democracia, y el oligárquico, la oligarquía. Siempre el carácter mejor es responsable de la constitución mejor. Además, en todas las facultades y habilidades hay unos elementos que hay que educar y habituar previamente a sus actividades respectivas, de forma que evidentemente también es preciso para las prácticas de la virtud.

Puesto que el fin de toda ciudad es único, es evidente que necesariamente será una y la misma la educación de todos, y que el cuidado por ella ha de ser común y no privado, a la manera como ahora cuida cada uno por su cuenta de la de sus propios hijos y les da la instrucción particular que le parece bien. El entrenamiento en los asuntos de la comunidad debe ser comunitario también. Al mismo tiempo hay que considerar que ninguno de los ciudadanos se pertenece a sí mismo, sino todos a la ciudad, pues cada uno es una parte de ella. Y el cuidado de cada parte ha de referirse naturalmente al cuidado del conjunto. También en ese aspecto podría culquiera elogiar a los lacedemonios, ya que no sólo dedican el mayor interés a lo que respecta a los niños, sino que lo hacen oficialmente. Que se deben dar leyes sobre la educación y que hay que hacerlo oficialmente para la comunidad está, pues, claro.

(ARISTÓTELES, Política, libro octavo, I)

El lenguaje sirve para enseñar

AGUSTÍN: ¿Qué es lo que queremos hacer, en tu opinión, cuando hablamos?

ADEODATO: Por lo que se me viene a las mientes en este momento, enseñar o aprender.

AG.: Uno de esos fines lo comprendo claramente y estoy de acuerdo contigo: cuando hablamos queremos enseñar, es evidente. Pero ¿cómo se entiende eso de que queremos aprender?

AD.: Pues ¿cómo te parece que va a ser, más que preguntando?

AG.: Incluso entonces, a mi juicio, no queremos sino enseñar;

pues déjame que te pregunte si interrogas por otro motivo que para enseñar lo que deseas saber a quien interrogas.

AD.: Es cierto.

AG.: Pues ya ves que al utilizar el lenguaje no tenemos otro fin que el de enseñar.

AD.: No lo tengo del todo claro; pues si hablar consiste en pronunciar palabras, constato que eso también lo hacemos cuando cantamos. Ahora bien, cuando cantamos a menudo estamos solos, no hay nadie presente para aprender y por tanto no creo que deseemos enseñar nada a nadie.

AG.: Sin embargo yo pienso que hay una manera de enseñar despertando los recuerdos, y es una manera importante, como lo demostrará el objeto mismo de nuestra conversación. Pero si estimas que no aprendemos cuando recordamos y que el que recuerda no enseña, no voy a contradecirte; y por tanto pongo dos objetivos del lenguaje: enseñar o hacer recordar sea a nosotros mismos o sea a otros. Esto es también lo que hacemos cantando. ¿Estás de acuerdo?

AD.: No del todo, pues me parece raro eso de que canto para recordar: lo hago solamente por gusto.

(AGUSTÍN DE HIPONA, *De magistro*, I, 1)

El currículum educativo en el Renacimiento

Muy querido hijo:

Entre los dones, gracias y prerrogativas con que Dios, soberano creador, dotó y ornó a la naturaleza humana en su principio, me parece lo mejor y más singular que quepa imaginar el alcanzar una cierta inmortalidad dentro de esta vida. Y esa inmortalidad consiste en que, en el curso de esta vida transitoria, nos es dable transmitir y perpetuar nuestro nombre y simiente. Me refiero a los hijos que tenemos en legítimo matrimonio. [...].

Así como en ti permanecerá la imagen de mi cuerpo, es de esperar que reluzcan también las virtudes de mi alma porque, si no, no se te juzgaría digno de ser custodio y guardián de la inmortalidad de nuestro nombre. Pequeño sería mi placer al considerar que la parte menor de mi individualidad, que es el cuerpo, persistiría, y que la mayor, que es el alma (por la cual queda nuestro nombre bendito y glorificado entre los hombres) había de perecer. [...].

Ahora, todas las disciplinas se han restablecido e instaurado el estudio de los idiomas, al punto que es vergonzoso que quien se dice sabio no sepa griego. Y añado lo mismo para quien igno-

re el hebreo, el caldeo y el latín. Y vemos los libros elegante y correctamente impresos, por inspiración divina, aunque, por suges-
tión diabólica, se haya inventado la artillería. El mundo está lleno de sabios, de doctos preceptores, de copiosas bibliotecas; y aun
se me ha dicho que en los tiempos de Platón y de Cicerón no había tantas facilidades para el estudio como las hay ahora. Sencillo es ya el acceso a las oficinas de Minerva; y veo que los bando-
leros, verdugos, soldados y palafreneros acabarán siendo más cul-
tos que los doctores y predicadores de mi época. ¿Qué más te
diré? Sólo que las damas y damiselas aspiran también a recibir
este maná de buen adoctrinamiento. [...].

En fin, hijo, yo deseo exhortarte a que emplees tu mocedad
en la mejora de tus estudios y virtudes. En París estás y por preceptor a Epistemón tienes. La ciudad, con vivas y vocales instrucciones, y él con loables ejemplos, pueden adoctrinarte bien.
Deseo y ordeno que aprendas bien los idiomas. Primero, el griego, como manda Quintiliano; en segundo lugar, el latín; y después
el hebreo, para descifrar las sagradas escrituras, y también el caldeo y el árabe. Forma tu estilo, en lo concerniente al griego, a imitación de Platón; en lo tocante al latín, a la de Cicerón. No haya
historia que no tengas presente en la memoria, a lo que te ayu-
dará la cosmografía de los que las han escrito. De las artes liberales, como geometría, aritmética y música, te di algunas nociones cuando eras pequeño, esto es, de edad de cinco o seis años.
Continúa en esas disciplinas e infórmate de todos los cánones de
la astronomía. Deja la astrología adivinatoria y el arte de Lulio
como abusos de la verdad y vanidades. Quiero que sepas de memoria los buenos textos del Derecho y también deseo que filosó-
ficamente conferencies conmigo sobre ellos.

Me propongo que te entregues especialmente al conocimiento de los hechos naturales. No haya mar, fuente, lago ni río cuyos
peces no conozcas y todos los pájaros del aire, todos los árboles,
arbustos y fructificaciones de las arboledas, más las hierbas del
suelo y los metales ocultos en el seno de los abismos, incluyendo,
por ende, las pedrerías de todo el Oriente y todo el Sur, no te ha-
brán de ser desconocidos.

Examina meticulosamente los libros de los médicos griegos,
árabes y latinos, sin desdeñar los de los talmudistas y cabalistas,
y con frecuentes anatomías infórmate de ese otro mundo que es
el interior del hombre. Dedica algunas horas del día al estudio de
las Santas Escrituras. Lee primero en griego el Nuevo Testamento, con las epístolas de los apóstoles. No dejes de repasar, en hebreo, el Antiguo Testamento. En fin, quiero verte hecho un pozo
de ciencia.

Luego, cuando crezcas y te hagas hombre, habrás de salir de
la tranquilidad y reposo del estudio para aprender los ejercicios
de las caballerías y las armas, a fin de defender mi casa y soco-
rrer a mis amigos en todos sus negocios; y especialmente, contra
los asaltos de los fautores del mal. [...].

Dice el sabio Salomón que no puede entrar sabiduría en alma
malévola. Añade también que ciencia sin conciencia es la ruina
del alma. Te conviene, por eso, servir, amar y temer a Dios y poner en Él todas nuestras esperanzas y pensamientos, y con fe fundada en la caridad, unirnos a Él, sin nunca de Él desampararnos
a través del pecado. Ten precaución y cautela ante los pecados del
mundo. No entregues tu corazón a la vanidad, que ésa es vía transitoria, mientras que la palabra de Dios dura eternamente. Ayuda
a tu prójimo y ámalo como a ti mismo. Venera a tus preceptores,
huye de las compañías que no te convengan y piensa que no debes recibir en vano las gracias que Dios te dio. Y cuando tengas
entendido que posees el saber necesario, vuelve a mí, para que yo
te vea y antes de morir te dé mi bendición. La paz y gracia de
Dios, hijo mío, sean contigo. Amén.

En Utopía, a diecisiete de marzo. Tu padre
Gargantúa.

(RABELAIS, *Gargantúa y Pantagruel*, libro II, cap. VIII)

Requisitos del buen maestro

A un hijo de familia que aspira a estudiar, no por la ganancia (pues un fin tan abyecto es indigno de la gracia y favor de las
Musas, además de que se refiere y depende de otro), ni tanto por
las comodidades externas como por las suyas propias, y para enriquecerse y adornarse en su interior, con la finalidad más bien de
convertirse en un hombre hábil que en un hombre sabio, me gustaría que se pusiera cuidado en proporcionarle un conductor que
tuviese la cabeza antes bien hecha que bien llena y en quien, sin
dejar ninguno de los dos aspectos de lado, contasen más las costumbres y el entendimiento que la ciencia; y que se comportara
en su cargo de una manera nueva.

Suelen [los preceptores] no dejar de gritarnos al oído, como
quien echa agua por un embudo, y nuestra parte no consiste más
que en repetir lo que nos han dicho. Me gustaría que corrigiese
esa práctica y que, desde un comienzo, según los alcances del
alma que se le ha confiado, comenzase por hacerla salir a la pa-
lestra, determinándola a saborear las cosas, elegirlas y discernir-

las por sí misma; unas veces abriéndole camino y otras dejando que se lo abra ella sola. No quiero que se limite a inventar y hablar él solo, quiero que también escuche a su discípulo hablar a su vez. Sócrates y más tarde Arcesilao hacían primero hablar a sus discípulos y luego hablaban ellos. «*Obest plerumque iis qui discere volunt auctoritas eorum qui docent*» (La autoridad de los que enseñan perjudica la mayoría de las veces a los que quieren aprender), dice Cicerón en *De natura deorum*.

(MONTAIGNE, *Ensayos*, libro I, cap. XXVI)

Para distinguirse de los animales

PADRE: ¡Mi pequeño Tulio! ¿Puedo hablar un rato contigo?
NIÑO: Por supuesto, papá. No puedo oír cosa más grata.
PADRE: Tu perrito *Ruscio*, ¿es una bestia o un hombre?
NIÑO: Bestia, según creo.
PADRE: ¿Qué tienes tú para ser hombre que no tenga él? Comes, bebes, duermes, caminas, corres, juegas. También él hace todas esas cosas.
NIÑO: Pero yo soy un hombre.
PADRE: ¿Cómo lo sabes? ¿Qué más tienes tú que el perro? Pero fíjate en la diferencia: él no puede llegar a ser hombre. Tú sí puedes, si lo quieres.
NIÑO: ¡Por favor, papá! Haz que lo sea cuanto antes.
PADRE: Así se hará si vas a donde van bestias y vuelven hombres.
NIÑO: Con todo gusto iré, papá; pero ¿dónde está ese lugar?
PADRE: En el ejercicio de las letras: en la escuela.
NIÑO: Voy sin demora a una cosa de tanta importancia.
PADRE: También yo. ¡Isabelita, escucha! Ponle el desayuno en la cesta.

(JUAN LUIS VIVES, *Diálogos sobre la educación*, 2)

Educar para la razón

Nada puede concordar mejor con la naturaleza de una cosa que los demás individuos de su especie; por tanto, nada hay que sea más útil al hombre, en orden a la conservación de su ser y el disfrute de una vida racional, que un hombre que se guíe por la razón. Además, dado que entre las cosas singulares no conocemos

nada más excelente que un hombre guiado por la razón, nadie
puede probar cuánto vale su habilidad y talento mejor que educando a los hombres de tal modo que acaben por vivir bajo el propio imperio de la razón.

(Spinoza, *Ética*, IV, apénd. IX)

Hay que razonar con los niños

Quizá pueda asombrar que recomiende razonar con los niños
y sin embargo no puedo dejar de pensar que es la verdadera manera en que hay que comportarse con ellos. Entienden las razones
desde que saben hablar y, si no me equivoco, gustan de ser trata-
dos como criaturas razonables desde mucho antes de lo que suele imaginarse. Se trata de una especie de orgullo que hay que desarrollar en ellos y del que hay que servirse tanto como sea posible, a modo de poderoso instrumento para conducirles.

Pero cuando hablo de razonamientos entiendo solamente los
que se refieren a la inteligencia y están al alcance del espíritu del
niño. Nadie supone que pueda argumentarse con un niño de tres
o ni siquiera de siete años como con un hombre maduro. Los largos discursos y los razonamientos filosóficos asombran todo lo
más y confunden el espíritu del niño, pero no lo instruyen. Cuando digo que hay que tratarlos como a criaturas razonables, entiendo pues que debéis hacerles comprender por la suavidad de
vuestros modales y por el aire tranquilo que conservaréis hasta en
vuestras reprimendas que lo que hacéis es razonable en sí mismo,
al mismo tiempo que útil y necesario para ellos; que no es por capricho, por pasión o por fantasía por lo que les ordenáis o les
prohibís esto o aquello. Eso están perfectamente capacitados para
comprenderlo y no hay virtud ni vicio de los que no puedan entender por qué la una se les recomienda y el otro se les prohíbe:
lo único que hace falta es elegir las razones apropiadas para su
edad y para su inteligencia, y exponérselas siempre claramente y
con pocas palabras. Los principios sobre los que reposan la mayoría de los deberes y las fuentes del bien y del mal del que brotan tales principios no siempre es fácil explicarlos ni siquiera a
hombres hechos y derechos, cuando no están acostumbrados a
abstraer sus pensamientos de las opiniones comúnmente recibidas. Con mayor razón todavía los niños son incapaces de razonar
sobre principios un poco elevados. No sienten la fuerza de una
larga deducción. Las razones que les convencen son razones familiares, al nivel de sus pensamientos, razones sensibles y palpa-

bles, si puedo expresarme así. Pero si se tiene consideración de su edad, de su temperamento y de sus gustos, nunca se dejará de encontrar motivos de ese tipo que puedan persuadirles. Y si no se encontrase otra razón más pertinente, lo que siempre comprenderán y bastará para apartarles de una falta de las que pueden cometer es que esa falta les desacredita y les deshonra, que os disgusta.

(John Locke, *Algunos pensamientos sobre educación*, sec. VIII)

Los primeros aprendizajes de Emilio

Emilio tiene pocos conocimientos, pero los que tiene son verdaderamente suyos; no sabe nada a medias. En el pequeño número de cosas que sabe y que sabe bien, la más importante es que hay muchas que ignora y que puede llegar a saber un día, muchas más que otros hombres saben y que él no sabrá en la vida, y una infinidad de otras que ningún hombre llegará a saber jamás. Tiene un espíritu universal, no por las luces sino por la forma de adquirirlas; un espíritu abierto, inteligente, dispuesto a todo y, como dijo Montaigne, si no instruido, por lo menos instruible. Me basta con que sepa encontrar el *para qué* de todo lo que hace y el *por qué* de todo lo que cree. Pues una vez más mi objetivo no es darle la ciencia, sino enseñarle a adquirirla cuando la necesite, hacerle estimar exactamente lo que vale y hacerle amar la verdad por encima de todo. Con este método se avanza poco, pero nunca se da ni un paso inútil, por lo que nunca se ve uno forzado a retroceder.

Emilio no tiene más que conocimientos naturales y puramente físicos. No sabe ni el nombre de la historia, ni en qué consisten la metafísica y la moral. Conoce las relaciones esenciales del hombre con las cosas, pero nada de las relaciones morales del hombre con el hombre. Sabe poco de generalizar las ideas, poco de hacer abstracciones. Ve las cualidades comunes a ciertos cuerpos sin razonar sobre esas cualidades en sí mismas. Conoce la extensión abstracta con ayuda de las figuras de la geometría; conoce la cantidad abstracta con ayuda de los signos del álgebra. Esas figuras y esos signos son los soportes de esas abstracciones, sobre los que reposan sus sentidos. No busca conocer las cosas por su naturaleza, sino sólo por las relaciones que le interesan. No estima lo que le es extraño más que por su relación con él; pero esta estimación es exacta y segura. La fantasía y la convención no intervienen en ella para nada. Hace más caso de lo que le es más útil; y no apartándose nunca de esta manera de apreciar, no concede nada a la opinión.

Emilio es laborioso, temperante, paciente, firme, lleno de coraje. Su imaginación, nada excitada, no le aumenta nunca los peligros; es sensible a pocos males y sabe sufrirlos con constancia, porque no ha aprendido a disputar con el destino. En lo tocante a la muerte, no sabe aún demasiado bien qué es; pero, acostumbrado a sufrir sin resistencia la ley de la necesidad, cuando haya que morir morirá sin gemir y sin debatirse; eso es todo lo que la naturaleza permite en ese momento aborrecido por todos. Vivir libre y apegarse poco a las cosas humanas es el medio mejor de aprender a morir.

En una palabra, Emilio tiene de la virtud todo aquello que se refiere a sí mismo. Para tener también las virtudes sociales le falta únicamente conocer las relaciones que las exigen; le faltan únicamente las luces que su espíritu está ya del todo preparado para recibir.

(J.-J. ROUSSEAU, *Emilio o de la educación*, libro III)

Objetivos de la instrucción pública

Ofrecer a todos los individuos de la especie humana los medios de proveer a sus necesidades, de asegurar su bienestar, de conocer y ejercer sus derechos, de entender y cumplir sus deberes; asegurar a cada uno de ellos la facilidad de perfeccionar su industria, de capacitarse para las funciones sociales a las cuales tiene derecho a ser llamado, de desarrollar en toda su extensión los talentos que ha recibido de la naturaleza, y de este modo establecer entre los ciudadanos una igualdad de hecho, y hacer real la igualdad política reconocida por la ley: tal debe ser el primer objetivo de una instrucción nacional y, desde este punto de vista, constituye para el poder público un deber de justicia.

(CONDORCET, *Informe y proyecto de decreto sobre la organización general de la instrucción pública*, 1792)

Una educación para la Humanidad

El hombre no llega a ser hombre más que por la educación. No es más que lo que la educación hace de él. Es importante subrayar que el hombre siempre es educado por otros hombres y por otros hombres que a su vez también fueron educados. [...]. La educación es un arte cuya práctica debe ser perfeccionada a lo largo de las generaciones. Cada generación instruida por los conocimientos de las precedentes es siempre más apta para establecer una educación que desarrolle de manera final y proporcionada todas las disposiciones naturales del hombre y que así conduzca a la especie humana hacia su destino. [...]. Por eso la educación es el problema mayor y más difícil que puede planteársele al hombre. En efecto, las luces dependen de la educación y la educación depende de las luces. [...].

He aquí un principio del arte de la educación que particularmente los hombres que hacen planes de enseñanza deberían tener siempre ante los ojos: no se debe educar a los niños únicamente según el estado presente de la especie humana, sino según su futuro estado posible y mejor, es decir, de acuerdo con la Idea de Humanidad y con su destino total. Este principio es de gran importancia. Ordinariamente los padres educan a sus hijos en vista solamente de adaptarles al mundo actual, por corrompido que esté. Deberían más bien darles una educación mejor, a fin de que un mejor estado pueda surgir en el porvenir. Sin embargo se presentan dos obstáculos para ello:

1) Ordinariamente, los padres no se preocupan más que de una cosa: de que sus hijos salgan adelante en el mundo, y 2) los príncipes no consideran a sus súbditos más que como instrumentos para sus designios.

Los padres piensan en su casa, los príncipes piensan en su Estado. Ni unos ni otros tienen como fin último el bien universal y la perfección a la que la humanidad está destinada y para la cual posee también disposiciones. Sin embargo, la concepción de un plan de educación tendría que recibir una orientación cosmopolítica. ¿Acaso entonces el bien universal es una Idea que pueda dañar nuestro bien particular? ¡En ningún caso! Pues incluso si parece que hay que sacrificarle algunas cosas, en el fondo siempre se trabaja mejor por el bien presente si se sirve a esta Idea. ¡Y qué magníficas consecuencias la acompañan! La buena educación es precisamente la fuente de la que manan todos los bienes de este mundo. Las semillas que están en el hombre deben ser desarrolladas. Porque no se encuentran principios que lleven al mal en las disposiciones naturales humanas. La única causa del mal es que la naturaleza no está sometida a reglas. No hay en el hombre semillas más que para el bien.

(INMANUEL KANT, *Reflexiones sobre la educación*, introd.)

Un liberal ante la educación obligatoria

En el caso de los niños es el que la equivocada aplicación de las nociones de libertad constituye un verdadero obstáculo al cumplimiento de sus deberes por el Estado. Casi se creería que los hijos de un hombre son literal, y no metafóricamente, parte de él mismo; hasta tal punto recela la opinión de la más pequeña intervención de la ley en la absoluta y exclusiva autoridad de los padres sobre sus hijos, más recelosa que de cualquier otra intervención en su propia libertad de acción, que, hasta ese punto, la mayoría de la humanidad tiene en menos la libertad que el poder. Considerad, por ejemplo, el caso de la educación. ¿No es casi un axioma evidente por sí mismo que el Estado exija e imponga un cierto grado de educación a todo ser humano que nace ciudadano suyo? Sin embargo, ¿a quién no asusta reconocer y afirmar esta verdad? Difícilmente se encontrará quien niegue que uno de los más sagrados deberes de los padres (como la ley y el uso lo han establecido del padre), después de traer al mundo un nuevo ser humano, es darle una educación que le capacite para cumplir sus obligaciones en la vida, tanto respecto de sí misma, como respecto de los demás. Pero mientras que unánimemente se declara que éste es el deber del padre, escasamente nadie, en este país, admitirá que se le puede obligar a su cumplimiento. En lugar de exigirle que haga todo el esfuerzo y sacrificio necesario a fin de asegurar la educación de su hijo, se deja a su elección el aceptarla o no, cuando se le ofrece gratis. Todavía no se ha llegado a reconocer que dar la existencia a un hijo sin tener una seguridad fundada de poder proporcionar no sólo alimento a su cuerpo sino instrucción y educación a su espíritu, es un crimen moral contra el vástago desgraciado y contra la sociedad; y que si el padre no cumple esta obligación, el Estado debe hacérsela cumplir, en lo que sea posible a su costa.

Si desde un principio fuera admitido el deber de imponer una educación universal se pondría fin a las dificultades sobre lo que el Estado debe enseñar y la manera de enseñarlo; dificultades que, por ahora, convierten este asunto en un verdadero campo de batalla entre sectas y partidos, dando lugar a que se invierta en discutir acerca de la educación, el tiempo y el esfuerzo que debieran dedicarse a la educación misma. Si el Gobierno se decidiera a *exigir* una buena educación para todos los niños, se evitaría la preocupación de *proporcionársela* por sí. Puede dejar que los padres obtengan la educación para sus hijos donde y como prefieran, contentándose con auxiliar a pagar los gastos escolares de los niños de clases pobres, o pagarlos íntegramente a aquellos que carezcan en absoluto de los medios para hacerlo. Las objeciones que con razón se formulan contra la educación por el Estado no son aplicables a que el Estado se encargue de dirigirla; lo cual es cosa totalmente diferente. Me opondré tanto como el que más a que toda o una gran parte de la educación del pueblo se ponga en manos del Estado. Todo cuanto se ha dicho sobre la importancia de la individualidad de carácter y la diversidad de opiniones y conductas implica una diversidad de educación de la misma indecible importancia. Una educación general del Estado es una mera invención para moldear al pueblo haciendo a todos exactamente iguales; y como el molde en el cual se les funde es el que satisface al poder dominante en el Gobierno, sea éste un monarca, una teocracia, una aristocracia, o la mayoría de la generación presente, proporcionalmente a su eficiencia y éxito, establece un despotismo sobre el espíritu, que por su propia naturaleza tiende a extenderse al cuerpo. Una educación establecida y dirigida por el Estado sólo podría, en todo caso, existir, como uno de tantos experimentos, entre otros muchos que le hicieran competencia, realizado con un propósito de ejemplaridad y estímulo, a fin de hacer alcanzar a los demás un cierto grado de perfección. A menos, es cierto, que la sociedad en general se encontrase en un estado tal de atraso que no pudiera proveerse o no se proveyera por sí de adecuadas instituciones de educación, a no ser tomando el Gobierno sobre sí esa función; entonces, realmente, puede el Gobierno encargarse, como el menor de dos grandes males, de lo relativo a escuelas y universidades, como puede suplir a las compañías por acciones, cuando no exista en el país una forma de empresa privada adecuada a las grandes obras industriales. Mas, en general, si el país tiene un suficiente número de personas cualificadas para dar la educación bajo los auspicios del Gobierno, esas mismas personas serían capaces, y se prestarían de buen grado, a dar una educación igualmente buena bajo el principio voluntario, asegurándoles una remuneración concedida por una ley que haga la educación obligatoria, combinada con un auxilio del Estado a aquellos incapaces de soportar este gasto.

(STUART MILL, *Sobre la libertad*, cap. 5)

Formar individuos libres

Si el impulso que guía nuestro tiempo, una vez conquistada la *libertad del pensamiento*, es su consecución hasta aquella plenitud en la que ella se convierte en *libertad de la voluntad*, el objeti-

vo último de nuestra educación ya no puede ser, para cumplir esta
libre voluntad, el simple *saber*, sino el querer que se engendra del
saber; y la expresión explícita de aquello a lo que esta educación
debe aspirar es: el *hombre personal o libre*. La verdad no consiste
en otra cosa que en la revelación de sí mismo y a ello le corresponde, precisamente, la búsqueda de sí mismo, la liberación de
todo lo ajeno, la más radical abstracción o descargo de toda autoridad, el renacer de la ingenuidad. Y este tipo de hombre auténtico no es el que proporciona la escuela; si en algún lugar existen hombres semejantes, lo serán *a pesar* de la escuela. Ésta nos
convierte, eso sí, en dueños de las cosas, y en cualquiera de los casos, en dueños de nuestra propia naturaleza —pero no hace de nosotros naturalezas libres—. Ningún saber, por fundamental y extendido que sea, ninguna agudeza o ironía, ni ninguna astucia
dialéctica nos ponen a salvo de la vulgaridad del pensar y del querer. No es realmente un mérito de la escuela el que no compartα-
mos con ella el afán egoísta. Todos los tipos de envidia, todas las
clases de usura, la avidez de puestos, la servidumbre mecánica, el
espíritu mediador, todo ello se remonta tanto al saber difundido
cuanto a la elegante formación clásica, y si todas estas enseñanzas no llegan a ejercer la menor influencia en nuestra formación
moral, se debe a menudo al azar de haberlo dejado todo a la mer-
ced del olvido de *no usarlo*: uno se sacude así el polvo de las aulas. Y ello por la única razón de que la educación se lleva a cabo
únicamente en lo formal o lo material, cuando no en ambos a la
vez, en lugar de buscarse en la *verdad*, en la educación del verdadero hombre. [...]. La «educación para la vida práctica» no forma
más que personas de *principios,* incapaces de pensar y actuar salvo en función de máximas, pero no forma hombres *principales.*
Tan sólo forma espíritus *legales*, pero no *libres*.

(MAX STIRNER, *El falso principio de nuestra educación*)

Diagnóstico de la cultura moderna

En el momento actual, nuestras escuelas están dominadas por
dos corrientes aparentemente contrarias, pero de acción igualmente destructiva, y cuyos resultados confluyen, en definitiva: por un
lado, la tendencia a *ampliar* y a *difundir* lo más posible la cultura,
y, por otro lado, la tendencia a *restringir* y a *debilitar* la misma cultura. Por diversas razones, la cultura debe extenderse al círculo
más amplio posible; esto es lo que exige la primera tendencia. En
cambio, la segunda exige a la propia cultura que abandone sus pre-

tensiones más altas, más nobles y más sublimes, y se ponga al servicio de otra forma de vida cualquiera, por ejemplo el Estado.

Creo haber notado de dónde procede con mayor claridad la exhortación a extender y a difundir lo más posible la cultura. Esa extensión va contenida en los dogmas preferidos de la economía política de esta época nuestra. Conocimiento y cultura en la mayor cantidad posible —producción y necesidades en la mayor cantidad posible—, felicidad en la mayor cantidad posible: ésa es la fórmula, poco más o menos. En este caso vemos que el objetivo último de la cultura es la utilidad, o, más concretamente, la ganancia, un beneficio en dinero que sea el mayor posible. Tomando como base esta tendencia, habría que definir la cultura como la habilidad con la que se mantiene uno «a la altura de nuestro tiempo», con que se conocen todos los caminos que permiten enriquecerse del modo más fácil, con que se dominan todos los medios útiles al comercio entre hombres y entre pueblos. Por eso, el auténtico problema de la cultura consistiría en educar a cuantos más hombres «corrientes» posibles, en el sentido en que se llama «corriente» a una moneda. Cuanto más numerosos sean dichos hombres corrientes, tanto más feliz será un pueblo. Y el fin de las escuelas modernas deberá ser precisamente ése: hacer progresar a cada individuo en la medida en que su naturaleza le permite llegar a ser «corriente», desarrollar a todos los individuos de tal modo que a partir de su cantidad de conocimiento y de saber obtengan la mayor cantidad posible de felicidad y de ganancia. Todo el mundo deberá estar en condiciones de valorarse con precisión a sí mismo, deberá saber cuánto puede pretender de la vida. La «alianza» entre inteligencia y posesión, apoyada en esas ideas, se presenta incluso como una exigencia moral. Según esta perspectiva, está mal vista una cultura que produzca solitarios, que coloque sus fines más allá del dinero y de la ganancia, que consuma mucho tiempo. A las tendencias culturales de esta naturaleza se las suele descartar y clasificar como «egoísmo selecto», «epicureísmo inmoral de la cultura». A partir de la moral aquí triunfante, se necesita indudablemente algo opuesto, es decir una cultura *rápida*, que capacite a los individuos deprisa para ganar dinero, y, aun así, suficientemente fundamentada para que puedan llegar a ser individuos que ganen *muchísimo* dinero. Se concede cultura al hombre sólo en la medida en que interese la ganancia; sin embargo, por otro lado se le exige que llegue a esa medida. En resumen, la humanidad tiene necesariamente un derecho a la felicidad terrenal: para eso es necesaria la cultura, ¡pero sólo para eso!

(NIETZSCHE, *Sobre el porvenir de nuestras escuelas*, 1.ª conf.)

Definición sociológica de la educación

De todos estos hechos resulta que cada sociedad se labra un cierto ideal del hombre, de lo que debe ser éste tanto desde el punto de vista intelectual como físico y moral; que ese ideal es, en cierta medida, el mismo para todos los ciudadanos de un país; que, a partir de un determinado punto, se diferencia según los ámbitos particulares que toda sociedad alberga en su seno. Es ese ideal, a la vez único y diverso, el que representa el polo de la educación. Ésta tiene, por tanto, como misión suscitar en el niño: 1. Un cierto número de estados físicos y mentales que la sociedad a la que pertenece considera como debiendo florecer en cada uno de sus miembros. 2. Ciertos estados físicos y mentales que el grupo social específico (casta, clase, familia, profesión) considera asimismo como debiendo existir en todos los que los constituyen. Por consiguiente, es la sociedad, en su conjunto, y cada ámbito social específico, los que determinan ese ideal que la educación realiza. La sociedad no puede subsistir más que si existe entre sus miembros una homogeneidad suficiente: la educación perpetúa y refuerza dicha homogeneidad, fijando por adelantado en el alma del niño las similitudes esenciales que requiere la vida colectiva. Sin embargo, por otra parte, sin una cierta diversidad toda cooperación resultaría imposible: la educación asegura la persistencia de dicha diversidad necesaria, diversificándose por sí misma y especializándose. Si la sociedad llega a ese nivel de desarrollo en que las antiguas escisiones en castas o clases no pueden ser ya mantenidas, prescribirá una educación más uniforme en su base. Si, al propio tiempo, el trabajo queda más dividido, la sociedad provocará en los niños, proyectada sobre un primer plano de ideas y sentimientos comunes, una diversidad más rica de aptitudes profesionales. Si vive en estado de conflicto con las sociedades circundantes se esforzará en formar las mentes según un modelo de inspiración netamente patriótica; si la competencia internacional adopta una forma más pacífica, el tipo que trata de realizar resulta más generalizado y más humano. La educación no es pues para ella más que el medio a través del cual prepara en el espíritu de los niños las condiciones esenciales de su propia existencia. Veremos más adelante cómo el propio individuo tiene todo interés en someterse a dichas exigencias.

Llegamos, por lo tanto, a la fórmula siguiente: la educación es la acción ejercida por las generaciones adultas sobre aquellas que no han alcanzado todavía el grado de madurez necesario para la vida social. Tiene por objeto el suscitar y desarrollar en el niño un cierto número de estados físicos, intelectuales y morales que exigen de él tanto la sociedad política en su conjunto como el medio ambiente específico al que está especialmente destinado.

(É. Durkheim, *La educación, su naturaleza y su papel*, 2)

Escuela y universidad

Ahora bien, la escuela primaria, por su índole, jamás podrá carecer en absoluto de carácter educador. Aun a pesar de la acumulación y heterogeneidad de los niños, del sistema mutuo, de las odiosas lecciones de memoria, de los libros de texto, de los exámenes, de las juntas locales, de los Ayuntamientos, del Gobierno, y hasta del maestro mismo en ocasiones, no tiene más remedio que educar. Lo hará mejor o peor, a tuertas o derechas, con más intensidad o con menos, pero no puede prescindir de hacerlo. De aquí la superioridad general del maestro, desde el punto de vista pedagógico, no obstante la brevedad de sus estudios; de aquí que la universidad, con todas sus mucetas, borlas y medallas, tenga mucho que aprender de la escuela, por decaída y mísera que esté, como lo está de hecho entre nosotros, y que la reforma de los métodos, con la consiguiente regeneración de nuestra enseñanza y de nuestra educación y de nuestra vida entera nacional, sea de la escuela, no de la universidad (como cuerpo) de quien deba en primer término esperarse. No olvidemos la ley de que las más altas concepciones sobre la ciencia, la educación y la enseñanza nunca germinaron, ni menos dieron fruto práctico, hasta penetrar en la escuela, en cuyo suelo arraigan para infiltrarse en la vida social, y de donde partirán siempre todos los progresos pedagógicos.

(Francisco Giner de los Ríos, *Maestros y catedráticos*)

Contra la educación familiar

La diferencia esencial entre educación verdadera y educación familiar es la siguiente: la primera es una cuestión humana, la segunda es una cuestión familiar. Todo hombre tiene su puesto en la humanidad o tiene, al menos, la posibilidad de sucumbir a su modo; pero en la familia encasillada por los padres sólo tienen su puesto hombres totalmente determinados que responden a exigencias totalmente determinadas y, más aún, a los términos dictados por los padres. Si no responden a estos imperativos, no son expulsados —ello sería muy hermoso, pero es imposible, porque sabemos que se trata de un organismo—, sino que se los maldice o se los destruye o ambas cosas a la vez. Esta destrucción no es corporal como en la mitología griega (Cronos se comía a sus hijos; es el padre más honrado), pero tal vez Cronos haya elegido su método de entre los habituales de entonces, movido precisamente por piedad hacia sus hijos.

El egoísmo —verdadero sentimiento paterno— no reconoce límites. Aun el amor más grande de los padres es, respecto a la educación, más egoísta que el amor más pequeño del educador a sueldo. No es posible de otra manera. Los padres no son libres frente a sus hijos como sí lo es un adulto frente a un niño, pues se trata en el primer caso de los lazos de la sangre, o sea de la propia sangre; hay, además, otra grave complicación: la sangre de cada uno de los padres. Si el padre (y lo mismo la madre) «educa», encuentra en el hijo cosas que ya ha odiado en sí mismo y no pudo superar, pero que ahora espera superar seguramente, pues el débil niño parece estar más en su poder que él mismo, y es así que ataca con ciego furor, sin aguardar el desarrollo, al hombre en su evolución; o reconoce con susto que, por ejemplo, algún rasgo propio que él considera sobresaliente y que por ello (¡por ello!) no debe faltar en la familia (¡en la familia!) falta en el niño, y se pone a martillárselo; lo logra, pero al mismo tiempo lo malogra, pues además martilla al niño; otro ejemplo: encuentra en el hijo rasgos que amó en la mujer amada pero que odia en el niño (al que confunde incesantemente consigo mismo; todos los padres lo hacen); así, se puede amar mucho los ojos azul celeste de la propia esposa y sentir la mayor repugnancia de tener, de pronto, uno mismo tales ojos; otro ejemplo: encuentra en el hijo rasgos que ama en sí mismo o anhela tener y considera necesarios a la familia; en ese caso, todos los otros rasgos del hijo le son indiferentes, sólo ve en él lo amado, se cuelga de lo amado, desciende hasta convertirse en su esclavo, lo destruye por amor.

Tales son los dos medios educativos nacidos del egoísmo de los padres: tiranía y esclavitud en todas sus gradaciones; hasta la tiranía puede manifestarse de una manera muy suave («¡Debes creerme, pues soy tu madre!») y la esclavitud adoptar una manera muy orgullosa («Tú eres mi hijo; por eso te convertiré en mi salvador»); pero ambos son medios de educación horribles, son medios de *antieducación*; sólo sirven para aplastar al niño contra el suelo de donde vino.

Los padres sienten por sus hijos un amor animal, irracional, que de continuo se confunde con el niño; en cambio, el educador presta atención al niño, y ello es, en sentido educativo, incomparablemente más, aun cuando no intervenga amor alguno. Repito:

en sentido educativo. Pues al calificar el amor de los padres de animal e irracional, ello no es en sí una subestimación: el amor de los padres es un misterio tan impenetrable como el amor racional y fecundo del educador; y tratándose sólo del sentido educativo, dicha subestimación no alcanza a ser suficientemente grande. Cuando N. dice que ella es como una gallina, tiene toda la razón; toda madre lo es en el fondo, y para la que no lo es caben dos posibilidades: o es una diosa o es un animal aparentemente enfermo. Pero resulta que la gallina N. no quiere tener pollitos, sino seres humanos; por lo tanto, no debe educarlos sola.

(Franz Kafka, carta a la señora XX, citada en apéndice 1
por Max Brod en su libro sobre el escritor)

Crear y enseñar

Con el crear, es el enseñar la actividad intelectual superior. Se trata, seguramente, de una forma más humilde que la otra, puesto que no realiza y prepara sólo a realizaciones ajenas. Pero implica, sin duda, la afirmación más enfática de la comunidad espiritual de la especie.

La facultad creadora florece rara y maravillosamente. Cuando el artista flaquea, entrega sus armas a sus hermanos, en la más heroica de las acciones humanas.

Crear y enseñar son actividades en cierto sentido antitéticas. La parábola de Wilde, del varón que perdió el conocimiento de Dios y obtuvo en cambio el amor de Dios, tiene una exacta aplicación en arte.

Todos apetecemos oír el mensaje que trae nuestro amigo; pero éste olvidará las palabras sagradas, si se sienta a nuestra mesa, comparte nuestros juegos y se contamina de nuestra baja humanidad, en vez de recluirse en una alta torre de individualismo y extravagancia. En cambio de las voces misteriosas cuyo eco no recogió, ofrecerá a la especie un rudo sacrificio: la mariposa divina perderá sus alas, y el artista se tornará maestro de jóvenes.

(Julio Torri, *Ensayos y poemas*)

Necesidad de superar la educación nacionalista

Uno de los problemas fundamentales de la educación en la sociedad democrática lo plantea el conflicto entre un anhelo nacionalista y un deseo social más amplio. La primitiva concepción cosmopolita y «humanitaria» sufría de vaguedad y a la vez de falta de órganos definidos de ejercicio y medios de administración. En Europa, y singularmente en los Estados continentales, la nueva idea de la importancia de la educación para el bienestar y progreso humanos fue apresada por intereses nacionales, y pertrechada para realizar una obra cuyo anhelo social era definitivamente reducido y exclusivo. Se identificaron el fin social de educación y su afán nacional, y el resultado fue un marcado oscurecimiento del significado de un fin social.

Esta confusión corresponde a la situación existente de intercambio humano. De una parte la ciencia, el comercio y el arte traspasan las fronteras nacionales. Son sumamente internacionales en calidad y método. Envuelven interdependencias y cooperación entre las gentes que habitan en diferentes países. Al mismo tiempo, la idea de soberanía nacional jamás ha estado tan acentuada en política como lo está en el momento actual. Cada nación vive en un estado de hostilidad contenida y de guerra incipiente con sus vecinos. Cada uno cree ser el supremo juez de sus propios intereses y se da por supuesto que todos tienen intereses que son exclusivamente propios. Discutir esto es discutir la idea misma de soberanía nacional, que se supone es básica en la práctica política y en la ciencia política. Esta contradicción (pues no es más que eso) entre la más amplia esfera de vida social asociada y mutuamente provechosa, y la más reducida esfera de intentos y propósitos exclusivos y, por consiguiente, potencialmente hostiles, exige de la teoría educativa una concepción del significado de «social» como función y comprobación de la educación más clara que la que hasta ahora se ha alcanzado.

¿Es posible que un sistema educativo esté dirigido por un Estado nacional y que, a pesar de ello, los fines sociales del proceso educativo no estén restringidos, constreñidos y corrompidos? Internamente, la pregunta ha de afrontar las tendencias, debidas a las actuales condiciones económicas, que dividen a la sociedad en clases, algunas de las cuales se hacen meramente instrumentos para la más elevada cultura de las otras. Externamente, la pregunta está relacionada con la reconciliación de la lealtad nacional, del patriotismo, con la suprema devoción a las cosas que unen a los hombres en fines comunes, independientemente de las fronteras políticas nacionales. Ninguna de las fases del problema puede resolverse con medios puramente negativos. No es suficiente cuidar de que no se emplee activamente la educación como instrumento para facilitar la explotación de una clase por otra. Deben conseguirse facilidades de educación de tal amplitud y eficacia que, de hecho y no de nombre, disminuyan los efectos de las desigualdades económicas y que aseguren a todas las clases de la nación igualdad de preparación para sus futuros modos de obrar. Para conseguir este fin se necesita, no sólo una adecuada provisión administrativa de facilidades de escuela y el consiguiente aumento de recursos familiares que pongan a la juventud en condiciones de aprovecharse de ellas, sino también aquella modificación de las ideas tradicionales de cultura, materias tradicionales de estudio y métodos tradicionales de enseñanza y disciplina que mantengan a toda la juventud bajo la influencia de la educación hasta que esté habilitada para ser dueña de sus actos económicos y sociales. El ideal puede parecer de remota ejecución, pero el ideal democrático de educación es un engañoso aunque trágico error, a menos que este ideal vaya dominando cada vez más a nuestro sistema público de educación.

El mismo principio tiene aplicación por parte de las consideraciones que afectan a las relaciones entre una nación y otra. No es suficiente enseñar los horrores de la guerra y evitar todo lo que estimularía la desconfianza y la animosidad internacional. El énfasis debe colocarse sobre todo lo que une a las gentes en empresas y resultados cooperativos, aparte de limitaciones geográficas. El carácter secundario y provisional de la soberanía nacional con respecto a la más plena, más libre y más provechosa asociación y trato de los seres humanos unos con otros debe iniciarse como una disposición operativa de la mente. Si estas aplicaciones parecen ser remotas en consideración a la filosofía de la educación, esa impresión demuestra que no se ha captado convenientemente el significado de la idea de educación previamente desarrollada. Esta conclusión va ligada a la idea misma de educación como una liberación de la capacidad individual en un desarrollo progresivo encaminado a fines sociales. De otra manera, el criterio democrático de educación sólo puede aplicarse de manera inconsistente.

(JOHN DEWEY, *Democracia y educación*)

Educación religiosa y educación moral

No puedo aceptar ese punto de vista de los políticos que, incluso si no hay Dios, consideran deseable que la mayoría de la gente sea creyente porque tal creencia anima a una conducta virtuosa. En lo que concierne a los niños, muchos librepensadores adoptan esa actitud: ¿cómo puede uno enseñar a los niños a ser

buenos, preguntan, si no se les enseña religión? ¿Y cómo les vamos a enseñar a ser buenos, respondo yo, si habitual y delibera-
damente se les miente acerca de un asunto de la mayor importancia? ¿Y cómo puede ninguna conducta genuinamente deseable
necesitar creencias falsas como motivo? Si no tenéis argumentos
válidos en favor de lo que consideráis «buena» conducta, lo que
falla es vuestra concepción de lo bueno. Y en cualquier caso suele ser la autoridad paterna más que la religión lo que influye en
la conducta de los niños. Lo que la religión consigue proporcionarles en la mayoría de los casos son ciertas emociones, no muy
directamente ligadas a las acciones y frecuentemente poco deseables. Indirectamente, sin duda, esas emociones tienen efectos sobre la conducta, aunque en absoluto los efectos que los educadores religiosos aseguran desear. [...]. Hasta donde yo recuerdo, no
hay ni una palabra en los Evangelios en elogio de la inteligencia;
y en este aspecto los ministros de la religión siguen la autoridad
evangélica mucho más de cerca que en otros casos. Debe recono-
cerse que esto es un serio defecto de la ética que se enseña en los
centros educativos cristianos.

(BERTRAND RUSSELL, *La educación y el orden social*, cap. 8)

Lecciones de Juan de Mairena

El oyente de la clase de Retórica, en quien Mairena sospe-
chaba un futuro taquígrafo del Congreso, era, en verdad, un oyente, todo un oyente, que no siempre tomaba notas, pero que siempre escuchaba con atención, ceñuda unas veces, otras sonriente.
Mairena le miraba con simpatía no exenta de respeto, y nunca se
atrevía a preguntarle. Sólo una vez, después de interrogar a varios
alumnos, sin obtener respuesta satisfactoria, señaló hacia él con
el dedo índice, mientras pretendía en vano recordar un nombre.
—Usted...
—Joaquín García, oyente.
—Ah, usted perdone.
—De nada.
Mairena tuvo que atajar severamente la algazara burlona que
este breve diálogo promovió entre los alumnos de la clase.
—No hay ningún motivo de risa, amigos míos; de burla, mucho menos. Es cierto que no distingo entre alumnos oficiales y libres, matriculados y no matriculados; cierto es también que en
esta clase, sin tarima para el profesor ni cátedra propiamente di-
cha —Mairena no solía sentarse o lo hacía sobre la mesa—, todos

dialogamos a la manera socrática; que muchas veces charlamos como buenos amigos, y hasta algunas veces discutimos acaloradamente. Todo esto está muy bien. Conviene, sin embargo, que alguien escuche. Continúe usted, señor García, cultivando esa especialidad. [...].

Veo con satisfacción —habla Mairena a sus alumnos— que no perdemos el tiempo en nuestra clase de Sofística. Por el uso —otros dirán abuso— de la vieja lógica, hemos llegado a ese concepto de *las cosas bien entendidas*, que será punto de partida de nuestro futuro procurar entenderlas mejor. Porque ésta es la escala gradual de nuestro entendimiento: primero, entender las cosas o creer que las entendemos; segundo, entenderlas bien; tercero, entenderlas mejor; cuarto, entender que no hay manera de entenderlas sin mejorar nuestras entendederas. Cuando esto lleguéis a entender, estaréis en condiciones de entender algo, o sea en los umbrales de la filosofía, donde yo tengo que abandonaros, porque a los retóricos impenitentes nos está prohibido traspasar esos umbrales. [...]

Ya hemos dicho que pretendemos no ser pedantes. Hicimos, sin embargo, algunos distingos. Quisiéramos hacer todavía algunos más. ¿Qué modo hay de que un hombre consagrado a la enseñanza no sea un poco pedante? Consideramos que sólo se enseña al niño, porque siempre es niño el capaz de aprender, aunque tenga más años que un palmar. Esto asentado, yo os pregunto: ¿Cómo puede un maestro, o si queréis, un pedagogo, enseñar, educar, conducir al niño sin hacerse algo niño a su vez y sin acabar profesando un saber algo infantilizado? Porque es el niño quien en parte hace al maestro. Y es el saber infantilizado y la conducta infantil del sabio lo que constituye el aspecto más elemental de la pedantería, como parece indicarlo la misma etimología griega de la palabra. Y recordemos que se llamó *pedantes* a los maestros que iban a las casas de nuestros abuelos para enseñar Gramática a los niños. No dudo yo de que esos hombres fueran algo ridículos, como lo muestra el mismo hecho de pretender enseñar a los niños cosa tan impropia de la infancia como es la Gramática. Pero al fin eran maestros y merecen nuestro respeto. Y en cuanto al hecho mismo de que el maestro se infantilice y en cierto sentido se *apedante* en su relación con el niño (*pais*, *paidós*), conviene también distinguir. Porque hemos de comprender como niños lo que pretendemos que los niños comprenden. Y en esto no hay infantilismo, en el sentido de retraso mental. En las disciplinas más fundamentales (Poesía, Lógica, Moral, etc.) el niño no puede disminuir al hombre. Al contrario: el niño nos revela que casi todo lo que él puede comprender apenas si merece ser enseñado, y, sobre todo, que cuando no acertamos a enseñarlo es porque nosotros no lo sabemos bien todavía.

(ANTONIO MACHADO, *Juan de Mairena*, XXVI, XXXIX)

Reforma de planes de estudio

En *mi* academia platónica, las clases elementales recibirían cursos de crítica de la economía política, y deberían extraer todas las consecuencias de ella. Se las educaría para convertirlas en dialécticos activos, y se las familiarizaría con la práctica. Obviamente, en las clases superiores tendrían que comprender a Mallarmé, sin olvidar lo primero.

(MAX HORKHEIMER, *Apuntes*, 1956)

Paradojas de la educación moderna

En el mundo moderno, el problema de la educación consiste en el hecho de que por su propia naturaleza la educación no puede dar de lado la autoridad ni la tradición, y que debe sin embargo ejercerse en un mundo que no está estructurado por la autoridad ni retenido por la tradición. Pero esto significa que no corresponde solamente a los profesores y a los educadores sino a cada uno de nosotros, en la medida en que vivimos juntos en un solo mundo con nuestros hijos y con los jóvenes, adoptar respecto a ellos una actitud radicalmente diferente a la que adoptamos los unos con los otros. Debemos separar firmemente el dominio de la educación de los otros dominios, y sobre todo del de la vida política y pública. Y es sólo en el dominio de la educación donde debemos aplicar una noción de autoridad y una actitud hacia el pasado que le convienen, pero que no tienen valor general y no deben pretender tener un valor general en el mundo de los adultos.

En la práctica, resulta que primeramente haría falta comprender que el papel de la escuela es enseñar a los niños lo que es el mundo y no inculcarles el arte de vivir. Dado que el mundo es viejo, siempre más viejo que ellos, el hecho de aprender está inevitablemente vuelto hacia el pasado, sin tener cuenta de la proporción de nuestra vida que se dedicará al presente. En segundo lugar, la línea que separa a los niños de los adultos debería significar que no se puede ni educar a los adultos, ni tratar a los niños

como si fuesen personas mayores. Pero sería preciso lograr que
esa línea no se convirtiese en un muro que aislara a los niños de
la comunidad de los adultos, como si no viviesen en el mismo
mundo y como si la infancia fuese una fase autónoma en la vida
del hombre, y como si el niño fuese un ser humano autónomo, capaz de vivir según leyes propias. No se puede establecer una regla
general que determinase en cada caso el momento en que se bo-
rra la línea que separa la infancia de la vida adulta; varía a menudo en función de la edad, de país a país, de una civilización a
otra, y también de individuo a individuo. Pero a la educación, en
la medida en que se distingue del hecho de aprender, se le debe
poder asignar un término. En nuestra civilización ese término
coincide probablemente con la obtención del primer diploma superior (*graduation from college*) mejor que con el diploma de estudios secundarios (*graduation from high school*), pues la preparación para la vida profesional en las universidades o en los insti-
tutos técnicos, aunque siempre tenga que ver con la educación, no
deja de ser por ello más bien un tipo de especialización. La educación no pretende ya ahí introducir al joven en el mundo como
un todo, sino más bien en un sector limitado muy particular. No
se puede educar sin enseñar al mismo tiempo; la educación sin
instrucción es vacía y degenera fácilmente en mera retórica emo-
cional y moral. Pero se puede muy fácilmente instruir sin educar,
y puede uno seguir aprendiendo hasta el fin de sus días sin edu-
carse nunca por ello. Pero todo esto no son más que detalles, que
debemos verdaderamente abandonar a los expertos y a los pedagogos.

(HANNAH ARENDT, «La crisis de la educación», incluido en
Between Past and Future)

¿Educación o propaganda?

En esto la propaganda se distingue de la educación. Esta última se dirige al individuo por él mismo, para su beneficio y su
desarrollo personales; la propaganda, por el contrario, se refiere
al grupo a través del individuo y se propone integrar la opinión de
este último en una corriente de opinión y orientar su conducta en
el sentido de que sea provechosa al grupo y a la causa que éste representa.

Sin embargo, conviene matizar tal oposición entre educación y propaganda, pues ésta posee indiscutiblemente un aspecto pedagógico como cualquier otra actividad o empresa huma-

na. La educación no es en sí misma un fin, es decir, no se educa a un ser con el único propósito de educarlo, sino con miras a los fines que le son trascendentes, de orden moral, religioso, político u otros. Cualquier educación es normativa y su orientación descansa, por tanto, sobre opciones filosóficas; de manera que una pedagogía absolutamente neutral, en el sentido del alicismo estrecho y primario, es una ilusión, si no una mentira. En particular, uno de los objetivos de la educación es facilitar la adaptación de los individuos a su medio social y a la colectividad política en general: lo que implica, inevitablemente, opciones. Sería una equivocación ignorar que pedagogía y propaganda se encuentran en este terreno y, según las circunstancias, pueden entrar en conflicto o colaborar. Algunos estiman que, en el plano de la política, el papel del pedagogo debe limitarse a la educación llamada cívica, que se contenta con enseñar los derechos y los deberes del ciudadano, haciendo uso además de una exposición imparcial y tolerante acerca de los distintos regímenes políticos y las distintas ideologías competidoras, para dejar al interlocutor la libre elección o el libre juicio personal. Sin duda, esta actitud es la única que va de acuerdo con los presupuestos del examen científico y, en la medida en que el profesor quiere hacer obra de sabio, debe doblegarse a estas condiciones imperativas de la honestidad intelectual. Sin embargo, el problema se plantea de manera totalmente distinta cuando el profesor tiene la ambición de ser al mismo tiempo sabio y educador, pues entonces debe conciliar el rigor del razonamiento positivo y la responsabilidad de sus posiciones valorativas personales. Ciertamente el método científico es ya por sí mismo pedagógico, es decir, formador del juicio; pero la educación mira más allá de la simple disciplina intelectual. No es nada seguro que estas dos actitudes se equilibren tan fácilmente como en general se asegura. [...]

La educación se dirige al hombre por entero; es inevitable, pues, que la religión, la política y las demás actividades normativas y formadoras no se dejen suplantar por una neutralidad que dista mucho de hallarse exenta de prevenciones y sectarismos, pues tampoco logra dominar el conflicto de lo privado y lo público. [...]. ¿Qué ser humano podría contentarse con la sola verdad científica y objetiva? Además, la verdad ¿es neutral? ¿Qué hombre podría acallar dentro de sí las demandas del deseo y, por consiguiente, de la fe y de la opinión? ¿Quién no se inclina hacia una u otra doctrina, o una u otra causa? ¿Cómo podría ser, en estas condiciones, impermeable a la propaganda, sobre todo cuando una causa o una doctrina que no busca la aprobación de los demás carece de vida? Hasta la neutralidad y la tolerancia son conquistadoras. El problema, pues, sigue subsistiendo por entero: ¿cómo conciliar, en la educación, el dinamismo de una idea y el respeto a la autonomía de los espíritus? Cada educador debe, sobre este punto, tomar sus responsabilidades con toda conciencia, pues en vista de que el dominio de los fines está destrozado por conflictos y antagonismos insuperables, ningún fin podría aportarle un criterio o una justificación absolutos. Este antagonismo eterno le facilita, por lo menos, una indicación práctica: la de desconfiar del fanatismo de un solo fin, que exalta siempre una idea exclusiva, y ejercer su juicio sobre el carácter inevitable y la naturaleza de la propaganda.

(JULIEN FREUND, *La esencia de lo político*)

No agobiar escolarmente a los hijos

Al rendimiento escolar de nuestros hijos solemos darle una importancia que es del todo infundada. Y esto no se debe más que al respeto por la pequeña virtud del éxito. Debería bastarnos que no se quedaran demasiado detrás de los otros, que no se hicieran suspender en los exámenes; pero no nos contentamos con esto; queremos de ellos el éxito, queremos que den satisfacciones a nuestro orgullo. Si van mal en la escuela, o sencillamente no tan bien como nosotros pretendemos, alzamos de inmediato entre ellos y nosotros la barrera del descontento constante; adoptamos con ellos el tono de voz irritado y quejumbroso de quien lamenta una ofensa. Entonces nuestros hijos, hastiados, se alejan de nosotros. O quizá les secundamos en sus protestas contra los maestros que no les han comprendido, los declaramos, al unísono con ellos, víctimas de una injusticia. Y todos los días les corregimos los deberes, nos sentamos a su lado cuando hacen los deberes, estudiamos con ellos las lecciones. En verdad la escuela debería ser desde el principio, para un muchacho, la primera batalla que tiene que afrontar solo, sin nosotros; desde el principio debería estar claro que ése es su campo de batalla propio, donde no podríamos darle más que una ayuda del todo ocasional e irrisoria. Y si ahí padece injusticias y resulta incomprendido, es necesario dejarle entender que eso no tiene nada de raro, porque en la vida debemos esperar ser continuamente incomprendidos y entendidos mal, y ser víctimas de la injusticia: lo único que importa es no cometer las injusticias nosotros mismos. Los éxitos o fracasos de nuestros hijos los compartimos con ellos porque les queremos mucho, pero del mismo modo y en igual medida que ellos compartirán, a medida que vayan creciendo, nuestros éxitos y nuestros fracasos, nuestros contentos o preocupaciones. Es falso que tengan el deber para con nosotros de ser aplicados en la escuela y de dar en ella lo mejor de su talento. Su deber para con nosotros, ya que les hemos proporcionado estudios, no es más que seguir adelante. Si lo mejor de su talento no quieren dedicarlo a la escuela, sino emplearlo en otra cosa que les apasione, sea su colección de coleópteros o el estudio de la lengua turca, es asunto suyo y no tenemos ningún derecho a reprochárselo, ni mostrarnos ofendidos en nuestro orgullo o frustrados en nuestra satisfacción. Si lo mejor de su talento no parece que por el momento tengan deseo de emplearlo en nada, y se pasan los días en el pupitre mordiendo el lápiz, ni siquiera en tal caso tenemos derecho a regañarles mucho: quién sabe, quizá lo que a nosotros nos parece ocio son en realidad fantasías y reflexiones que mañana darán fruto. Si lo mejor de energía y de su talento parecen desperdiciarlo, tumbados en un sillón leyendo novelas estúpidas o frenéticos en el campo jugando al fútbol, tampoco esta vez podemos saber si verdaderamente se trata de un desperdicio de energía y de talento, o si también esto, mañana, en alguna forma que ahora ignoramos, dará sus frutos. Porque las posibilidades del espíritu son infinitas. Pero no debemos dejarnos atrapar, nosotros los padres, por el pánico del fracaso. Nuestros enfados deben ser como ráfagas de viento o de temporal: violentos pero pronto olvidados; nada que pueda oscurecer la naturaleza de nuestras relaciones con los hijos, enturbiando su limpidez y su paz. Estamos aquí para consolar a nuestros hijos, si un fracaso les ha entristecido; estamos aquí para consolarles, si un fracaso les ha mortificado. También estamos aquí para bajarles los humos, si un éxito les ha ensoberbecido. Estamos aquí para reducir la escuela a sus humildes y angostos límites; nada que pueda hipotecar el futuro; un simple ofrecimiento de herramientas, entre los cuales es posible elegir uno del que disfrutar mañana.

Lo único que debemos tener en cuenta en la educación es que en nuestros hijos nunca disminuya el amor a la vida. Eso puede revestir diversas formas, y a menudo un muchacho desarrollado, solitario y esquivo no carece de amor por la vida, ni está oprimido por el pánico de vivir, sino sencillamente en estado de espera, atento a prepararse a sí mismo para su propia vocación. Y ¿qué otra cosa es la vocación de un ser humano, sino la más alta expresión de su amor por la vida?

(Natalia Ginzburg, *Las pequeñas virtudes*)

Aprender a nadar

Aprender a nadar es conjugar los puntos más notables de nuestro cuerpo con los puntos singulares de la Idea objetiva, para formar un campo problemático. Esta conjugación determina para nosotros un umbral de conciencia a nivel del cual nuestros actos reales se ajustan a nuestras percepciones de las relaciones reales del objeto, proporcionando entonces una solución del problema. Pero precisamente las Ideas problemáticas son juntamente los elementos últimos de la naturaleza y el objeto subliminal de las pequeñas percepciones. Hasta tal punto que «aprender» pasa siempre por el inconsciente, pasa siempre en el inconsciente, estableciendo entre la naturaleza y el espíritu el lazo de una complicidad profunda.

El aprendiz, por otra parte, eleva cada facultad al ejercicio trascendente. En la sensibilidad, busca hacer nacer esa segunda potencia, que capta lo que no puede ser más que sentido. Tal es la educación de los sentidos. Y de una facultad a otra se comunica la violencia, pero comprendiendo siempre lo Otro en lo incomparable de cada una. ¿A partir de qué signos de la sensibilidad, por medio de qué tesoros de la memoria, se suscitará el pensamiento, bajo las torsiones determinadas por las singularidades de cuál Idea? Nunca se sabe de antemano cómo alguien va a aprender —por qué amores se llega a ser bueno en latín, por qué encuentros se hace uno filósofo, en qué diccionarios se aprende a pensar—. Los límites de las facultades se encajan los unos en los otros, bajo la forma rota de lo que lleva y transmite la diferencia. No hay método para encontrar los tesoros y tampoco para aprender, sólo un violento adiestramiento, una cultura o *paideia* que recorre al individuo por entero (un albino donde nace el acto de sentir en la sensibilidad, un afásico donde nace la palabra en el lenguaje, un acéfalo donde nace pensar en el pensamiento). El método es el medio de saber que regula la colaboración de todas las facultades; también es la manifestación de un sentido común o la realización de una *cogitatio natura*, que presupone una buena voluntad como una «decisión premeditada» del pensador. Pero la cultura es el movimiento de aprender, la aventura de lo involuntario, encadenando una sensibilidad, una memoria, luego un pensamiento, con todas las violencias y crueldades necesarias, decía Nietzsche, justamente para «adiestrar un pueblo de pensadores», «dar doma al espíritu».

(GILLES DELEUZE, *Diferencia y repetición*, cap. III)

Naturaleza de los exámenes

El examen combina las técnicas de la jerarquía que vigila y las de la sanción que normaliza. Es una mirada normalizadora, una vigilancia que permite calificar, clasificar y castigar. Establece sobre los individuos una visibilidad a través de la cual se los diferencia y se los sanciona. A esto se debe que, en todos los dispositivos de disciplina, el examen se halle altamente ritualizado. En él vienen a unirse la ceremonia del poder y la forma de la experiencia, el despliegue de la fuerza y el establecimiento de la verdad. [...].

De la misma manera, la escuela pasa a ser una especie de aparato de examen ininterrumpido que acompaña en toda su longitud la operación de la enseñanza. Se tratará en ella cada vez menos de esos torneos en los que los alumnos confrontaban sus fuerzas y cada vez más de una comparación perpetua de cada cual con todos, que permite a la vez medir y sancionar. [...]. El examen no se limita a sancionar un aprendizaje; es uno de sus factores permanentes, subyacentes, según un ritual de poder constantemente prorrogado. Ahora bien, el examen permite al maestro, a la par que transmite su saber, establecer sobre sus discípulos todo un campo de conocimientos. Mientras que la prueba por la cual se terminaba un aprendizaje en la tradición corporativa validaba una aptitud adquirida —la «obra maestra» autentificaba una trasmisión de saber ya hecha—, el examen, en la escuela, crea un verdadero y constante intercambio de saberes: garantiza el paso de los conocimientos del maestro al discípulo, pero toma del discípulo un saber destinado y reservado al maestro. La escuela pasa a ser el lugar de elaboración de la pedagogía.

(Michel Foucault, *Vigilar y castigar*, III, 2)

La escuela como ritual de iniciación

La coacción de la escuela, que hay quien gusta denunciar, no es más que un aspecto o una expresión de la coacción que toda realidad —y la sociedad es una de ellas— ejerce normalmente sobre sus participantes. Es de buen tono ridiculizar o estigmatizar la resistencia que opone el medio social a las obras innovadoras. Ello supone no ver que, en el estadio final, esas obras deben tanto a ese medio como al impulso creador que las impulsa a dar un giro a las reglas tradicionales y, llegado el caso, a violarlas. Toda obra memorable está hecha así de reglas que pusieron obstáculos a su nacimiento —y que ella tuvo que infringir— y de reglas nuevas que, una vez reconocida, ella impondrá a su vez. [...].

Los etnólogos estudian sociedades que no se plantean el problema del niño creador; y la escuela tampoco existe en ellas. En las que yo he conocido, los niños jugaban poco o nada en absoluto. Más exactamente, sus juegos consistían en la imitación de los adultos. Esta imitación les conducía de manera imperceptible a participar de veras en las tareas productivas: sea para contribuir, en la medida de sus medios, a la búsqueda de alimentos, para cuidar a los menores y distraerlos, o para fabricar objetos. Pero en la mayor parte de las sociedades llamadas primitivas, este aprendizaje difuso no basta. Es preciso también que en un momento determinado de la infancia o de la adolescencia tenga lugar una experiencia traumática, cuya duración varía según los casos de unas cuantas semanas a varios meses. Entreverada con pruebas a menudo muy duras, esta iniciación, como dicen los etnólogos, graba en el espíritu de los novicios los conocimientos que su grupo social tiene por sagrados. Y hace funcionar también lo que yo llamaría la virtud de las emociones fuertes —ansiedad, miedo y orgullo— para consolidar, de forma brutal y definitiva, las enseñanzas recibidas en el transcurso de los años de forma diluida.

Pese a que fui instruido, como muchos otros, en liceos en el que la entrada y la salida de cada clase se hacía a toque de tambor, donde las menores faltas de disciplina eran severamente castigadas, donde las composiciones se preparaban con angustia y cuyos resultados, proclamados de modo muy solemne por el director de estudios acompañado por el censor, causaban abatimiento o júbilo, no creo que cuando éramos niños la gran mayoría de nosotros haya concebido contra ellos odio o asco. Ahora que soy adulto y además etnólogo, encuentro en tales usos el reflejo, ciertamente debilitado pero aún reconocible, de ritos universalmente extendidos que confieren un carácter sagrado a los trámites por los cuales cada generación se prepara para compartir sus responsabilidades con la que la sigue. Para prevenir todo equívoco, llamemos sagradas, solamente, a esas demostraciones de la vida colectiva que afectan al individuo en sus profundidades. Pueden ser desconsideradas y hacerse peligrosas según se llevan a cabo en ciertas sociedades, sobre todo en la nuestra en razón de la edad precoz en la que sometemos a nuestros hijos a las disciplinas escolares. Los pretendidos primitivos tienen por lo general más miramientos con la fragilidad psíquica y moral del niño muy pequeño. Pero a condición de actuar mesuradamente y de adaptar los métodos al estado presente de las costumbres, no se ve modo de que una sociedad pueda ignorar o descuidar tales procedimientos. [...].

Pretendiendo hacer de nuestros hijos creadores ¿deseamos solamente que, como el salvaje o los campesinos de las edades preindustriales, sepan hacer por sí mismos lo que su vecino hace también, respetando normas fijadas de una vez por todas, o les pedimos algo más? Reservaremos entonces el nombre de creación a lo que, en el plano material o espiritual, representa una verdadera innovación. Los grandes innovadores son, ciertamente, necesarios en la vida y en la evolución de las sociedades: aparte de que tal talento pudiese —pero de ello no sabemos nada— tener bases genéticas (excluyendo que exista de forma latente en todo el mundo), es preciso también interrogarse sobre la viabilidad de una sociedad que quisiera que todos sus miembros fuesen innovadores. Parece muy dudoso que tal sociedad pudiera reproducirse y mucho menos progresar, pues se dedicaría de manera permanente a disipar lo ya adquirido.

(CLAUDE LÉVI-STRAUSS, *La mirada lejana*, cap. XXI)

Saber y sabor de la filosofía

Más me hielo si más ardo
dijo a Eloísa, Abelardo.

(Tuvo la filosofía —cuando lo quiso tener—,
más que de un querer saber —de un saber que no quería—:
que es un sabor de poesía... —¡Oh sabia sabiduría!—
¡Saborear el no ser!...)

No sepamos tan de prisa,
dijo a Abelardo, Eloísa.

(JOSÉ BERGAMÍN, *Poesías casi completas*)

Índice